人が集まる街、逃げる街

牧野知弘

角川新書

はじめに――アフターコロナで生き残る街とは？

「脱通勤」コロナ禍がもたらしたマインドチェンジ

2019年11月、中国武漢市で発生した新型コロナウイルスは、その後世界中に蔓延、多くの感染者と死者を出すに至った。我が国においても、2020年4月7日、全国に緊急事態宣言が発令され、ほぼすべての事業所、商店、飲食店などが休業を余儀なくされた。STAY HOMEが合言葉となって、人々は外出を控え、基本的には家にいることを求められた。

これまでサラリーマンの多くにとって、毎朝毎夕、自宅の最寄りの駅から満員電車に乗って、都心にあるオフィスビルまで「通勤」するのは、全く当たり前の行為だった。ところが、緊急事態宣言が発令されるやいなや、オフィスで働くことはかなわず、家でテレワークをすることになった。

当初は、「パソコンだけでは仕事にならない」「社員を管理できない」「会議を開けるのか」「社員同士の意思疎通ができない」といった不安を口にする向きもあった。しかし、実際に約2ヵ月にわたってテレワークをやってみると、いくつかの問題は散見されたものの、多くのサラリーマンが、意外に「使いこなせる」ということが証明されることになった。

いっぽう会社側にも気づきがあった。これまでは、毎朝社員たちが出勤してくれれば、一日の仕事が始まる。そして夕方になって、社員たちが「おつかれさまでした」と言って家路につけば、仕事が終了するのが常識だった。ところが、社員が会社にやってこなくても、かなりの分量の仕事がこなせる、それどころか、むしろ業務効率が向上したと感じる職場が多かったのだ。

今やZOOMやSkypeといった会議ソフトを使えば、全員が同じオフィスに集まらなくても会議ができる。Slackのような業務報告の共有ソフトを使えば、いちいち口頭で業務の指示をする必要もなく、また、提出された内容を各人で共有化することも容易になった。

その結果、アフターコロナにおいても、テレワークでの業務体制を続けることを選択する会社が増えている。「社員は会社に来る必要はない」と考える会社と、「会社に行かなくても仕事はできる」と考える社員の合意点は何か。「通勤」がいらないということだ。

この昭和から平成、そして令和にかけて人々が全く常識だと信じて疑わなかった「通勤」という行動を、「する必要がない」と気づいたことは、まさに社会のコペルニクス的な転換だったといえそうだ。

会社にとっては、社員が集まりやすい都心の便利な場所に、広大なオフィスを構える必要がなくなった。オフィス内を豪華な仕様にして、社員におもねらずとも、情報通信端末を与え、会社と社員を1対1でつなげれば業務を推進できる。そのほうが、社員も「通勤」の労苦を避けられてハッピーだということなら、都心のオフィスは、会社として必要最小限のものにとどめよう。なんといっても、オフィスの賃料は、人件費に次いで大きな負担となる固定費だ。おまけに、社員が通勤せずに週1回、あるいは月に3回会社にやってくる程度になれば、通勤費も都度精算にして大きなコスト削減となる。

こうした発想は、巨大オフィスが林立してきた都心の風景を、変えることになるかもしれない。多くの会社が「必ずしも都心にオフィスを構える必要がない」と悟ってしまえば、感染症の蔓延などに備えて、ヘッドクォーターを首都圏の中でも分散する、あるいはいっそのこと地方都市に構えても支障がない、と考える会社が出てきても不思議ではない。

これまでは、ヘッドクォーターを分散させることは、感染症のみならず、大地震や台風などの激甚災害に備えて、たびたび検討事項にはあがってきたものの、役員同士のコミュニケーションがとれないなどの理由で、なかなか進んでこなかった。

ところが、今回のコロナ禍で多くの役員たちが、実際にコミュニケーションツールを自分で利用することによって、その便利さを実感するに至った。こうした実体験は、今後のオフィスの在り方を、これまでの都心集中から、首都圏内での分散、あるいは地方への移転の流れを生み出すことにもつながりそうだ。

社員にとっても、会社に「通勤」する必要がなくなれば、これまで会社との往復で費やしていた時間が、自分のものになる。一日の中で、1時間半から2時間もの時間節約になる。満員電車のストレスもない。会社に行って嫌な上司の小言を聴くこともない。夫婦共働きで、これまでは、どちらが保育園に子供を迎えに行くかだの、夕食を作るかだの、掃除をするかだのと揉めてばかりいたけれど、通勤さえなくなれば、互いの時間にゆとりが生まれる。

そして、自分が住んでいる街の「平日の昼の姿」を目の当たりにするようになる。これまでは朝と夜の様子しか見ることができなかった「寝るだけの街」から、自分が住んでいる街を、生活者の視点から見ることになる。多くの社員にとって、コロナ禍の勤務は、在宅勤務を行いながらも、自分の住んでいる街に対して、新たな感想を持つことになったはずだ。

家選びの常識はどのように変化したのか

さて、通勤することが基本的になくなってしまえば、これからの家選びはどうなるだろうか。

日本は戦後、高度成長期から平成初期までの期間、日本経済を支えるために、地方から三大都市圏を中心とした都市部に人口の大移動が続いた。背景は人口の激増である。終戦直後は7200万人だった人口は、1970年には1億人を突破、わずか25年間で44%もの伸びを示した。

人口の増加は、日本経済が伸び、人々の生活が豊かになるにしたがって、内需を喚起し、製造業を中心に多くの人手が必要となった。そのため、地方の、おもに農村部に生まれた子供のうち、跡継ぎの長男を除いた、次男・三男や長女・次女たちが、都市部に大量に流入してきたのだ。彼らは農村に戻ることはなく、都市部で家族を持ち、定住するための家を求めたため、地価が高騰。住宅は、都市部郊外へと拡大を続けた。

だが、平成初期に絶頂期を迎えた日本経済は、平成バブルの崩壊以降、長期にわたる低迷期に突入する。働き手の人口に相当する生産年齢人口（15歳以上64歳までの人口）は、1995年の8726万人をピークに減少に転じる。世帯年収（中央値）も、1995年の550万円をピークに急激に下落。日本社会には、大きな構造変革の波が押し寄せる。

最も大きな変化が表れたのが、日本人のライフスタイルだ。それまでの日本の勤労者の家族構成は、都心の会社に通勤する夫に、専業主婦の妻、子供は2人、というのが標準世帯だった。郊外にやっとの思いで建てた家から、夫は遠距離通勤。妻は家にいて、子供の面倒をみるというのが定番だった。

ところが、1995年を境に、専業主婦世帯と共働き世帯の数は逆転する。これをさらに後押ししたのが、1997年に施行された男女雇用機会均等法の改正だった。この改正によって女性も、男性と同様に休日勤務や深夜残業が認められるようになった。景気低迷で男性の収入が頭打ちになる中、男性と同様に教育を受けてきた女性も労働に参加することで、収入を確保するようになったのである。

ライフスタイルの変化を加速させたのは、日本を取り巻く経済情勢の変化だった。1990年代前半から顕著になった円高は、1995年4月には、一時、1ドル79円台を記録。輸出型の製造業の工場の多くが、アジアなどに移転することを余儀なくされた。都心湾岸エリアなどが、それらの工場が撤退することによって、次々と更地化していったのだ。

そして、国が後押ししたのが、大都市法の改正だ。この改正は、都心部の土地の容積率（敷地面積に対して、建設することができる建物の床面積の割合）を、大幅に引き上げることを目的とした改正だった。大型の工場が立地するような、湾岸部の工業地域では、容積率は200%から400%、あるいは600%に引き上げられ、その結果、跡地をデベロッパーやゼネコンが買収し、その土地上に超高層マンション（タワマン）を建設、分譲するようになった。

夫婦共働き家庭の最大の悩みは、通勤時間の長さだった。郊外部から都心のオフィスに、

1時間以上かけて通勤したのでは、子供を保育所に預けても、夕方にお迎えに行くことは不可能だ。ところが、都心部にタワマンができれば、会社までの通勤が楽になる。タワマンは、変化するライフスタイルに適合した企画だったのだ。

サラリーマンと家選びは、都心居住へと大きく舵を切ることになる。都心部は地価が高いので、従来であれば、都心に家を持つのは、なかなか実現できないことだった。ところが、共働きになり、夫婦とも定年まで勤務すれば、これまでは夫一人の収入をもとに調達していた住宅ローンも、二気筒エンジンとなり、多額のローン設定が可能になる。金利は低金利が常態化し、政府による税金の特例もてんこ盛りになされた結果、7000万円から1億円近くの物件でも手に届くようになった。それならば、とにかく会社に通勤が便利な都心部に住もうということになったのだ。

いわばサラリーマンの家選びは、「会社ファースト」に収斂していったのである。会社ファーストの基準は、なんといっても利便性優先だ。東京・大手町まで30分、最寄りの駅まで徒歩5分以内、マンション内に保育所がある、などが家選びの絶対条件になった。

短期間に、急速に都心居住に需要がシフトされたために、都心部の中古マンション、とりわけ利便性の良いエリアの物件で価格が高騰した、平成バブル期のように、買って住んでいたマンションの価格がみるみる上昇、「マンション買って大儲け」といった文言が、新聞や雑誌に喧伝されるにつれ、さらに都心居住の需要を刺激していったのだ。

地方の劣化とニュータウンの疲弊

いっぽうで、都会に人を供給し続けた地方は、どうなってしまっただろうか。戦後、多くの人材を、東京などの大都市圏に奪われた地方であるが、多くの自治体が目指したのが、企業誘致である。日本は戦後、輸出型製造業が大きな成長を遂げたが、海外から原材料を輸入し、これを加工、組み立てるために、沿岸部を中心に工場が次々建設された。沿岸部の工場周辺には、多くの工場労働者が住み、街には彼らの住宅とともに、生活を支える商店や飲食店が立ち並び、街は賑わった。

ところが、1990年代後半以降、円高やアジア新興国の勃興によって、多くの工場が撤退し、産業構造自体も、加工型の製造業からソフトウェアや研究開発といった分野に、構造転換が図られた。地方都市にあった工場も、その多くが中国などのアジア諸国に移転し、研究開発型の事業所は、地方都市でも郊外部に配置されるようになった。

研究開発型事業は、工場のように多くの労働者を必要としないし、原材料を輸入しているわけでもないので、沿岸部にある必要がなかった。その結果として、沿岸部で発展してきた地方都市の中心市街地から人の姿が消え、彼らを相手にしていた商店や飲食店が店を閉じ、シャッター通り商店街に変わり果てたのだ。

地方都市の多くは、人口の高齢化と減少に悩むこととなった。主要な産業が衰退し、若者世代は、地元での就職口がないため、東京や大阪などの大都市に流出する。地元に魅力的な働き口がないので、他の地域からの人口流入も起こらない。これを、「人口の社会減」という。転入者よりも転出者が多い状態のことだ。若い世代の多くが、魅力のなくなった地方都市から流出するということは、出生者数が減ることを意味する。地元に残るのは、高齢者ばかりになり、彼らはやがて亡くなる、つまり死亡者数が増える。これを「人口の自然減」という。

今、日本のほとんどの地方都市で起こっているのが、まず人口の社会減が始まり、その行きつく先として人口の自然減が起こる。この状態に陥ると、街は急速に活力を失い、衰退していく。

こうした状況の中、地方都市はもがき続けている。働き手が減少し、高齢者ばかりの街になると税収が減り、社会保障費が膨らむ。財政の悪化だ。郊外部に無節操に広がってしまった街を、中心市街地に引き戻して、コンパクト化しようという動きがある。街の範囲の拡大は、自治体にとっては、道路や上下水道、学校、消防、警察などの社会インフラの整備、維持が多大な負担になる。これらを街の中心市街地にまとめ、バスや路面電車などの交通網を整備することで、街中に人を呼び戻そうという試みだ。

人口が減ってしまったのを、都会からの移住者、定住者を募集することで補おうという施策も、多くの自治体が採用している。彼らが住む家に空き家などを斡旋し、改修費や賃料を補塡するなどの支援を行うものだ。衰退していた地場産業などを立て直し、新たな雇用を創出しようする動きも出てきた。

激増した訪日外国人旅行客（インバウンド）を取り込むために、観光地としての魅力の発信に注力する街もある。想像もできない数の観光客を乗せた大型のクルーズ船を寄港させることで、世界にアピールしようとする港町。日本ではごくあたりまえの観光要素である温泉の魅力を、世界に向けて発信する街。複数の街、自治体が手を組んで観光ルートを作り、面としての観光を楽しんでもらおう、という動きもある。空港を中心とした観光客の取り込みに知恵を絞る街。世界中からセレブリティを呼ぶ超高級リゾート開発で、活性化を目指す街も出てきている。

もうひとつ取り残されてしまった街に、ニュータウンがある。ニュータウンの多くは、1970年代から1980年前半に造られた街だが、そこに好んで住んだのが、戦後の日本経済を支えた戦中世代から団塊世代だ。彼らは忠実な企業戦士として会社に人生を捧げ、家族のために家を買い、遠距離通勤と多額のローン返済に耐えながら生き抜いてきた。彼らは、そのほとんどが定年を迎え、このニュータウンで静かに暮らしている。

専業主婦の妻が車で塾の送り迎えを行い、大切に育て上げた子供たちも、多くが学校を卒業して就職した。彼らは共働き世代であるため、親の家があるニュータウンに住むことはなく、都心のマンション住まいを選択。引き受け手がいないまま、ニュータウンの家は一代限りの家として、家主とともにその寿命を全うしようとしている。ニュータウンはオールドタウンと化し、タウン内にあった商店も店主が高齢化して店を閉め、街の活気が失われ、昼間にも、ほとんど街中を歩く人がいない状態の街が増えている。

家の主もやがて、80代から90代になるにつれ、車だけが頼りのニュータウンでは、生活が成り立たず、家を引き払って、駅近のマンションに住み替える動きも出てきた。大都市圏では、こうしたニュータウンを中心に、これから激しい高齢化の波が押し寄せる。街の特徴として、一時期に住宅が供給された結果、住民の年齢層がほぼ同じという傾向がある。そのため住民の高齢化も、一気にやってきてしまうのである。

ニュータウンでは、これからの10年間で大量の相続が発生する。だが、この家を相続する相続人にとって、親の残した家は「貸す」などの活用の可能性がなく、自分が「住む」予定もなく、売ろうにも、すでにマーケットが存在しない「負動産」と化しているのである。結果として、ニュータウン内にも大量の空き家が発生することは、容易に予想できる。

この街を、世代循環ができる街に復活させるために、いくつかの取り組みも始まっているが、容易なことではない。地元の元気な高齢者によるカフェを作って、住民を集めようなどの試みも行われているが、若い世代を取り込むには至っていない。

アフターコロナは街選びの時代へ

コロナ禍は、これまで我々には当然の生活習慣だった「通勤」という行動を、停止に追い込んだ。インバウンドの大量来日によって、息を吹き返し始めていた地方都市では、インバウンドどころか国内観光客の姿すら全く消え去り、途方に暮れる街も出た。高級な食材を開発して、都会の高級レストランに売り込む、飛行機に積んで、アジアの富裕層に売り込んできた街に衝撃が走った。

アフターコロナでは、人々はどのような行動をとるようになるのだろうか。

まず、家の選び方には大きな影響がでることだろう。「通勤」を前提とした「会社ファースト」の家選びが、必ずしも賢い家選びとはならないからだ。会社に通うためだけの家であれば、交通の利便性と、育児などに都合の良い保育所や学校の良し悪しだけで、家選びを判断すればよかった。だが、昼間も含めて、一日の大半を同じ街ですごすことを考えた場合、家選びの選択肢は多様化する。

なぜなら、自分が住む街に対する評価が、「会社ファースト」から「生活ファースト」になるからだ。たとえば、東京都心にある会社には、月3回程度行けばよいとなれば、都心部よりも環境の良い街を選べばよい。海が好きな人であれば、海辺に住む。首都圏でいえば、横須賀や三浦に住むことも十分選択肢になるだろう。京浜急行を使えば、三浦半島の突先・三崎口駅から品川駅までは、1時間半でアクセスできる。これが毎朝毎夕では苦痛だが、月数回なら十分許容範囲だろう。毎日海を眺めながら仕事をする。サーフィンが好きならば朝夕、サーフィンをして働く生活だって夢ではなくなる。

山が好きな人は、中央線で高尾を越えて、大月や相模湖方面に家を求めてもよいだろう。家の価格もぐんと安くなるので、広い敷地の一戸建てを買い、敷地の一部は、畑や家庭菜園にして、野菜作りを楽しめるようにしてもよい。

子供の学校が心配な家族は、平日は子供の学校近くのマンションに賃貸で暮らし、週末は海や山のある自宅で過ごす、などというのも悪くない選択肢になりそうだ。地価の高い都心を避ければ、郊外部は家も安い。高額の住宅ローンの返済のために一生をかけるのではなく、二拠点居住や多拠点居住を実践できるようになるだろう。

テレワーク中心になると、人々の会社に対するロイヤリティーは、徐々に失われていくだろう。自ら優れた能力を持つ人は、一つの会社の社員として働くのではなく、複数の会社と業務委託契約を締結して働くような、個人事業主的な勤務形態になるだろう。そうなれば、そもそも会社への出勤という行為すらなくなるかもしれない。自分の好きな地方都市で暮らす。あるいは、季節ごとに住む街を変えていくような生活を行う人が出てくることだろう。

何も、地方都市が新たに産業を誘致しなくとも、仕事能力が高い人が、パソコン一つを持って、地方にやってきて住み始める。その街に住むことで新しい産業が勃興する。ハコを用意せずとも、人というソフトを導入できた街は、これまでとは異なる発展をとげるかもしれないのだ。

インバウンドも単に観光という要素だけでなく、中長期にわたって街で生活してもらう、つまり地元の人々と一緒に生活する、一緒に働くことで、彼らが勝手に街の新たな魅力を発見してくれるかもしれない。

これからは、街同士の優勝劣敗の時代だ。つまり、居心地の良い街として、多くの住民に支持される街が出るいっぽうで、交通利便性は良くても、街に住むという観点からは魅力のない街は、人々からそっぽを向かれるようになる。

街中にコワーキング施設があって、毎朝夫婦で同じコワーキング施設に、ライドシェアの自転車で出かける。仕事が早く終わったほうが、近所の保育所に子供を迎えに行く。街の商店で買い物をする。ヨットが停泊するハーバー脇のレストランで、海の夜景を楽しみながら食事をする。街には、シェアリングエコノミーが完備され、無駄なモノは持たない。近所の友人の畑で収穫作業を手伝う。こうした住むことの価値を創出できる街は、多くの人の支持を受けるようになることだろう。

「人が集まる街」は、さらなる発展を遂げていく。工夫のない昔の方程式ばかりに拘泥する街は、「人が逃げる街」として衰退の道を歩み続ける。街間格差は広がり、都会や地方関係なく、住みやすく働きやすい街が、様々な尺度から人々に評価されるようになるのである。

それは決して、毎年、雑誌で特集される「値上がりするマンション、値下がりするマンション」などという特集では測ることのできない、本当の意味での生活価値なのである。

本書は、日本中の魅力ある街、課題の残る街について、『週刊東洋経済』に、約2年半にわたって連載してきたものの中から抜粋の上、再編集したものである。本書によって、日本の街の持つ魅力についての、新たな発見につながれば幸いである。

2020年7月

牧野　知弘

目次

第四章　模索が続く大都市郊外

第五章　新陳代謝を仕掛ける街

第六章　「街おこし」に挑む街

第七章　盛衰の分岐点に立つ街

第八章　今注目の成長する街

第九章　奮闘中の地方都市

第十二章　リゾート誘致にかける街

第十三章　空港、港を活かす街

第十四章　インバウンドが集まる街

第一章　ニュータウンの課題と挑戦

三田ニュータウン――名産品を使った地道な誘致活動

街の名前で「三田」と書くと、東京の人間の多くは、港区の三田（みた）と読むが、関西の人にとっては、兵庫県の三田（さんだ）市を指す。

三田市は、兵庫県の南東部に位置する面積約２１０平方キロメートルの街である。南で神戸市に接し、東に宝塚市、猪名川《いながわ》町、西に加東《かとう》市、三木市、そして北で丹波篠山市に接する。この街の歴史は古く、数万年前の旧石器時代から人が住んでいたとされ、農業を中心とした生活が営まれてきた。

この街が、関西地方で俄然脚光を浴びるようになったのが、１９８１年から入居が開始された、北摂三田ニュータウンの開発である。北摂三田ニュータウンは東京の多摩、大阪の千里などで先行したニュータウン開発の経験と反省を生かし、新たに開発されたニュータウンだ。開発面積は１２００ヘクタールにもおよび、ニュータウン全体を「フラワータウン」「ウッディタウン」「カルチャータウン」「北摂三田テクノタウン」の4つのエリアに分け、開発も一気に行うのではなく、期を分けて長期間にわたって分譲していくなどの、工夫がなされてきた。

住民の多くは大阪の勤労者が多く、神戸電鉄やＪＲ福知山線を使って、40分から50分程度でアクセスができる。人口は１９８５年には3万人台だったのが、開発の進展に伴い急速に

三田市の中心部

増加し、1997年には10万人を数え、1988年から1997年にかけて、人口増加率が10年連続で全国1位を記録した。

だが開発分譲終了後は、人口の流入が止まり、2010年の11万4000人を境に人口は横ばいとなり始め、現在は11万人弱と減少傾向に転じている。開発時期をずらしたことで、他のニュータウンよりも人口の減少開始は遅れたものの、開発が終了すると「人の新陳代謝」が行われず、やがて人口は減少に転じていくことは、この街でも同様だったのだ。

現在、三田市の高齢化率は21・3%、全国平均の26・6%に比べて、まだまだ低い状況にある。また空き家率も、2013年で10・8%と、この数値は全国平均の13・5%はもとより東京都の11・1%に比べても低い水準だ。

しかし、今後の三田市を考える場合、状況は楽観できない。国立社会保障・人口問題研究所の推計によれば、この街の高齢化率は今後急速に高くなり、2025年には30・8%と国の平均値30%を超え、2045年には40・7%(国36・8%)に達するとされている。ニュータウンであるがゆえの、急速な高齢化をこれから迎えるのである。

人の新陳代謝を活発にするためには、「人を集める仕掛け」が必要である。ニュータウンとしての顔ばかりが強調される三田市であるが、この街を歩くと、「都市」と「農村」が見事に融合した街であることに気づく。特に市の北部は、豊かな里山が形成されている。有馬富士や千丈寺山、天神岳などの山々、1988年に完成した千丈寺湖は、ブラックバスの釣り場として人気がある。三田牛は、この肉を扱う店がミシュランガイドにも載るブランド牛だ。また三田米もおいしい米として名を馳せる。

市では「三田市地域おこし協力隊」を2016年度から結成し、地域外の人材を積極的に呼び込み、産業おこしやコミュニティの活性化を図っている。地元の名産・母子茶《もうし》をクリームに練り込んだどら焼きや、三田牛の牛糞を堆肥として利用した、減農薬のにんにくの生産など成果も出始めている。

お隣の加東市や三木市のようなゴルフ場銀座でない分、三田市は、地道な人の呼び込み作戦が展開されている。新しい三田の像を生み出せるか、期待したい。

鳩山ニュータウン──深刻さを増していく〝孤立化〟

埼玉県比企郡鳩山町。東武東上線高坂駅からバスで10分ほどのところに、１９７０年代から１９９０年代にかけて、日本新都市開発（２００３年８月に特別清算）が開発、分譲した県内有数の街、「鳩山ニュータウン」がある。

高坂駅から池袋駅までは、急行で52分。大手町などの都心に出るには、バスの乗車時間や乗り換え時間も含めれば、ドア・ツー・ドアで約1時間半の距離だ。

このニュータウンが売り出されたのは、日本経済が急成長を遂げた時代。分譲末期の１９９０年代に売り出された松韻坂《しょういんざか》地区は、1戸当たり1億円を超える分譲価格が付いた。また、その街並みの美しさで、数々の賞をとったことでも有名だ。

国土交通省によれば、全国にニュータウンは２００９ヵ所、合計面積は18・9万ヘクタールに及んでいるが、その多くが鳩山ニュータウンのように、１９７０年代後半から１９８０年代前半にかけて建設された街である。

ところが、そんな輝かしい実績を持つ鳩山ニュータウンに、時代の変化の波が押し寄せている。

鳩山町の人口統計によれば、ニュータウンを構成する「松ヶ丘」「楓ヶ丘」「鳩ヶ丘」の3

地区の人口は、２０００年には９９７９人であったものが、２０１７年では７２５６人と17年間になんと27％も減少している。今後は減少の一途をたどり、２０４０年には５１００人にまで減少する見込みになっている。

人口減だけではなく、さらに問題となっているのが、激しく進行する高齢化だ。２０１５年で、総人口に占める65歳以上の高齢者の割合は、すでに44・１％にも達している。この数値は全国平均の27・３％を大幅に上回っており、２０４０年になると53・９％と、住民２人に１人以上が高齢者になることが予測されている。

２０１３年の空き家率は、ニュータウンが属する鳩山町全体では、まだ８・９％（住宅・土地統計調査）であり、県全体の10・９％を下回っていたが、人口の多くを占める高齢者が今後一斉に亡くなると、多くの住宅が空き家になることが予測されている。

住民の減少、高齢化と空き家化の進行は、タウン内の商業施設が撤退する要因となる。今地方で話題となっている街の〝孤立化〟は、遠くない将来、首都圏のニュータウンでも着実に生じてくる。商業施設のみならず、学校の統廃合、病院の閉鎖などが、これらの郊外住宅地で確実に起こってくるのだ。

鳩山ニュータウン内の瀟洒《しょうしゃ》な家を眺めていると、なぜ、ここで育った子供たちや孫たちが「故郷」に戻ってこないのだろうと疑問に思うが、戻りようがないのだ。

この街で育った子供の多くは、親の代とは異なり、共働き世帯がほとんどだ。彼らにとって子供を保育所に預けて、1時間半かけて都心に通勤するという選択肢は、とりづらいというのが現状だ。

こうした現象は、不動産価格にも如実に反映される。ニュータウン内の中古戸建て住宅は、場所や物件によるが、現在では売り出し価格が、600万円台にまで落ち込んでいる。

この街に住む多くの住民が住宅を買い求めたのは、地価が高騰した1970年代から1990年代はじめにかけてだった。人々は都心から放射状に伸びる鉄道沿線に住宅を探し求め、郊外の環境の良い戸建て住宅を選択し、1時間以上の通勤に耐え、「家」という財産を手にしてきた。

ところが、この街に子供は帰らず、老朽化した住宅と、老いた住民だけが取り残されようとしている。鳩山ニュータウンは今後どのようにして、街としての持続可能性と不動産価値を保っていくのだろうか。2020年以降の街の絵姿が見えづらくなっている。

仙台市泉区――仙台市の副都心を襲う高齢化

東北の中心都市仙台市の北西部に位置するのが、泉区である。区内の北西には、標高1175メートルの泉ヶ岳を擁することから、「泉」の名称があり、1988年3月に仙台市と合併するまでは泉市と呼ばれていた。人口は21万3０００人を数える。

区の中央部を七北田川《ななきたがわ》が西から東に流れ、１９６０年代頃までは水田の多い農村であった。ところが、仙台市の人口増加とともに、この地区は仙台市に通うサラリーマンのベッドタウンとして住宅開発が行われた。

県の住宅供給公社が、団地型の住宅を供給したのが、将監《しょうげん》地区。また将監の隣の高森地区や寺岡地区を中心に、三菱地所が「泉パークタウン」の名で、戸建て住宅を中心とした大規模開発を手掛け、１９７５年から分譲を開始。現在も開発が続いている。区内には、このほかにも多くのニュータウンが存在し、あたかも区全体がニュータウンであるかのような印象を受ける。

仙台市中心部へのアクセスは、仙台市営地下鉄南北線を除けば、バスまたは車でのアクセスとなる。区内の交通の中心は、南北線が、１９９２年に八乙女駅から延伸されて新設された泉中央駅だ。この街には、区内を行き来する多くのバスが集結して、バスターミナルを形成している。また、駅周辺には中小のオフィスビルや商業施設、最近では高層マンションなども建設され、街の中心としての賑わいを見せている。

ニュータウンを支える商業施設、医療施設に加え、この街の特徴としてあげられるのは、特色のある私立学校が多数進出してきていることだ。仙台白百合学園は中高に加え、女子大を併設している。東北学院大学や東北生活文化大学なども居を構えている。さらに2016年4月には、ホライゾン学園仙台小学校が高森地区に開校。この学校は、小学1年生から英語の履修を義務付け、小学校義務教育課程の半分以上を英語で行うなどの特色を持った学校として、話題を呼んでいる。

また区内には泉ヶ岳スキー場、スプリングバレー泉高原スキー場などのスキー施設、泉国際ゴルフ倶楽部などのゴルフ場があり、休日のレジャーにも事欠かない。さらに1997年には、七北田公園内にユアテックスタジアム仙台がオープン。J1に所属する地元サッカーチームベガルタ仙台の本拠地となっていて、サッカー開催日には、多くのファンでにぎわう。

仙台市の副都心として、順調な発展をしてきた泉区であるが、問題も出始めた。急速な高齢化である。65歳以上の人口が全体人口に占める割合（高齢化率）でみると、泉区は1989年にはわずか6・05％であったのが、2017年には24・27％に増加。この数値は、仙台市の行政区5区の中でトップの数値である。とりわけ初期に開発が行われた将監地区は、高齢化率32％（2015年）にも及んでいる。同じ区内で将監と近接する泉中央は、高齢化率がわずか9％、15歳から64歳までの人口を表す生産年齢人口は76％と、「若々しい街」であるのと対照的な姿となっている。

ニュータウンは分譲時点で同じ年齢層、経済条件の住民が一時期に集結するため、高齢化も一気に進みがちだ。街の新陳代謝を高めて、新たに人を呼び込むことが必要になるが、鉄道によるアクセス手段が、地下鉄南北線一本であるのも難点だ。南北線の延伸計画もあるようだが、地下鉄の経営状況も影響してか一向に進む気配がない。老朽化した団地の建て替えも急務である。ニュータウンの次なるステージの構築が今、求められている。

多摩ニュータウン——人を集める街へ、再生が始まる

東京都多摩市は、東京の南西部にあって、北端を多摩川、南端を多摩丘陵に接する人口14万8000人の街である。面積は21平方キロメートルで、都内の自治体として決して広くはなく、そのために、人口密度は1平方キロメートルあたり7000人を超える。

多摩市には、JRと高速道路が存在しない。京王線、京王相模原線と小田急多摩線が走るが、駅は4つしかない。京王線の聖蹟桜ヶ丘駅と、京王相模原線と小田急多摩線が並走する永山駅と多摩センター駅、小田急多摩線の唐木田駅だけだ。聖蹟桜ヶ丘から新宿までは、特急で約30分。多摩センターや永山からは、調布や新百合ヶ丘を経由してやはり新宿に向かう。この街は私鉄の雄である京王線と小田急線が造った新宿経済圏の街であり、商業施設や業務施設が、この4駅を中心に展開されている。

聖蹟桜ヶ丘は、多摩川を挟んで府中市と向き合い、西で日野市と接する多摩市北部の中心

多摩ニュータウンの風景

街である。京王聖蹟桜ヶ丘ショッピングセンターをはじめ、聖蹟桜ヶ丘OPAなど商業系が集積するほか、京王電鉄本社や関係会社が本社を構える。

多摩センターは、八王子市側につながることから商圏が広く、ココリア多摩センター、小田急マルシェ、京王多摩センターSC、イトーヨーカドーなどの商業施設、サンリオエンターテイメント（ピューロランドの運営会社）、ベネッセ、ティアック、ミツミ電機など大手企業の本社・本部が目立つ。

永山は、多摩ニュータウンで最初に開発が行われたエリアであり、JTBやセブン&アイホールディングス、AIG損害保険などの研修所や電算センターなどが、唐木田には大和証券や三菱UFJ銀行の研修所、データセンターなどが立地している。

多摩市内で広域を占める多摩ニュータウンは、当初は、東京のベッドタウンとして位置付けられ、住宅中心の開発が進められたが、その後のオイルショックなどの経済変動や、住宅事情の改善などの環境変化を踏まえ、業務施設や学校の誘致に、方針が切り替えられていった。

その結果、2015年では昼間人口（14万8000人）が夜間人口（14万6000人）を上回るようになった。この原因は、通勤通学者などの流入人口（4万5108人）が、流出人口（4万3853人）を上回るようになったことだ。1990年では、夜間人口が昼間人口よりも3万4000人も多く、流入人口2万7842人に対して、流出人口が6万1652人だった。この街は30年ほどの間で昼間にも、「人を集める街」に変貌を遂げていったことがわかる。

だが問題もある。人口の激しい高齢化だ。2019年で多摩市の高齢化率は、28・1%に達しているが、30年前はわずか5・2%であった。同時期にこの街に入居した世代が、一斉に年を重ねていることが原因だ。

ニュータウン内の団地の老朽化も深刻だ。2013年、永山駅近くの諏訪2丁目団地が建て替えられた。この団地は多摩ニュータウンの最初の団地として、1971年に誕生したが、23棟640戸の団地が取り壊され、14階建てと11階建ての7棟1249戸の団地に再生された。新規分譲部分は、20代から30代の所有者が47％を占め、団地の若返りを成しとげることに成功した。だがいっぽうで、この団地に集まった若い世代の多くが、多摩市近隣の自治体からの移住だったといわれる。多摩地区でも、今後激しい街間格差が生じることが懸念されている。人を集める知恵にはまだまだ工夫が求められているのである。

印西市——災害に強い台地をウリに、職住近接の住みよい環境を整備

印西市は、千葉県の北部、印旛《いんば》エリアにある人口約10万人の街である。東京から40キロ圏にあり、千葉ニュータウンの中核をなす街でもある。

北に利根川、南部から東部にかけて印旛沼に囲まれ、西北端には手賀沼を臨むことから、地盤が悪いように思われるが、このエリアは下総台地にあって地盤が強く、活断層も存在しない。そのため東日本大震災以降は、金融機関の事務センターや大企業の研究所やバックアップ施設が構えられた。

先日の台風で川崎市の武蔵小杉地区は水害が生じて、ニュータウンの脆さを露呈したが、この街の中心部は、台地上に位置していることから、そのリスクも少ないという。

また、成田空港に約15キロメートル程度でアクセスできることから、物流基地としても高い評価を得ている。２０１６年3月には、物流大手のグッドマンジャパンがグッドマンビジネスパークを開業。「Live+Work+Play」をテーマに、ロジスティクスとビジネススペースを兼ね備えた開発を進めている。これまでの物流施設は、物流に必要な機能のみに特化してきたが、千葉ニュータウンという人口の多さに着眼して、ビジネススペースやアメニティゾーンを開発して、カフェや託児所、スーパーやホテル、フィットネスもあわせて整備されている。

かつて開発された多くのニュータウンは人口増加が止まり、高齢化や少子化が進み、不動産価値を落としている。その中でも、この街が独自の成長を遂げていることは、毎年発表される東洋経済「住みやすさランキング」でも、うかがい知ることができる。2012年から2018年まで、7年連続で首位を保ったその理由は、京成成田空港線の開通により、大手町など都心部へ約1時間でアクセスできるという交通利便性だけにとどまらない。

この街には、生活に必要なあらゆる機能が効率よく配置されている。もともとUR(都市整備機構)が開発した計画的な街であるため、公園などの緑豊かな空間が広がり、地盤の良さに好感を抱いた企業や、金融機関の進出による雇用の確保が図られている。そして東京電機大学、東京基督教大学、順天堂大学、日本医科大学看護専門学校などが進出し、街を若い学生たちが闊歩《かっぽ》している。

毎日の生活に必要な商業施設は、イオンモールや牧の原モア、ホームセンターのジョイフ

千葉ニュータウン駅付近

ル本田など、多くの店舗がそろう。ビッグホップガーデンモールは、商業モールであるだけでなく、子供が遊べる豊かなスペースがあり、子育て家族にも好評だ。

医療機関の充実ぶりにも、目を見張るものがある。基幹災害拠点病院で、救命救急センターを備える日本医科大学千葉北総病院をはじめ、印西総合病院、西佐倉印西病院などが街の安心を支えている。

この街の課題は、やはり今後の住民の高齢化であろう。現状では、高齢化率も22％と全国平均を大きく下回る。また、年少人口の割合も13％台と若さを保っているが、ニュータウンの宿命として、今後いかに人を集める街として生き残っていくか、模索せねばならない。幸い、最近の地震や水害を通じて人々は、あらためて災害に強い街を探し始めた。職住が近接し、新しい「住みよさ」を提供し続けることで街としての魅力を維持する取り組みに期待したい。

あすみが丘――都心に人口を奪われる「チバリーヒルズ」

東京駅から、JR京葉線に乗って約50分、蘇我駅でJR外房線に乗り継いで、約13分で土《と》気《け》駅に着く。この土気駅の南に、広大に広がる住宅地がある。平成バブル期に東急不動産が街開きした、「あすみが丘」住宅地である。

都心の地価が高騰を続ける中、サラリーマンは、都心から郊外に延びる鉄道沿線に住宅を求めていった。都心までの通勤時間は、駅までの移動時間を含めると、優に1時間半コース。それでも当時は、マイホームを求めて多くのサラリーマンが購入する人気の住宅地だった。

この街は、東急不動産を主体に計画的に開発がすすめられた。エリア内には土地面積50坪から60坪程度、建物面積30坪から37坪程度、4LDKの間取りを中心とした戸建て住宅がほとんどを占める中、専有面積70平方メートル後半から90平方メートルのマンションも、一部の区画で供給された。

そして、この街を語るに欠かせないのが、「ワンハンドレッドヒルズ」というバブル時代の象徴ともいえる、超高級戸建て住宅の発売だった。土地面積で400坪から500坪、建物面積で120坪から140坪にも及ぶプール付きの豪邸は、ロサンゼルスのビバリーヒルズになぞらえて、「チバリーヒルズ」とも呼ばれ一世を風靡《ふうび》した。さすがに、バブル当時でも1戸当たりの分譲価格が、15億円前後という水準では順調に販売できず、多くの住戸が売れ残った。

街には商業施設として、駅前に「バーズモール」が1989年にオープン。2000年には、スーパーやホームセンターが入る「ブランニューモール」もオープンし、賑わいを博した。またエリア内には、計画的に公園が配置され、「創造の杜」公園をはじめ、住民の憩いの場が豊富に提供された。

さらには、1990年代に入ると、街の東部も開発され、「あすみが丘東」の名前で、戸建て住宅が分譲された。だが、1990年代半ば以降、都心居住の傾向が強まり、この街の人気に陰りが出始める。若い世代の働き手は夫婦共働きが主体となり、子供を保育所に預けて夫婦で通勤するには、この街はあまりに都心部から遠く、人気の下落につながったのだ。2011年には2店舗あった東急ストアが閉店するなど、街から逃げ出す人やお店が増え始める。

人気の下落は、不動産価格に如実に反映される。バブル当時、4000万円台後半から5000万円台で分譲された戸建て住宅は、現在の中古相場で、1000万円台前半で販売されるものが多くなっている。１９９０年半ばに分譲されたエリア内のマンションも、中古価格で１０００万円を切る住戸も出始めている。ワンハンドレッドヒルズは、販売当初から苦戦し、現在は８０００万円から９０００万円台で募集されているが、売れたという話はあまり聞かれない。

今後は、この街にも他の多くのニュータウン同様に高齢化の問題が忍び寄る。あすみが丘1丁目から9丁目までの、人口と年齢構成を見てみよう。２００５年の街の人口は、２万１６１１人。14歳以下の子供の人口は、４４００人と20%を占めていた。また、15歳から64歳の生産年齢人口も7割近くにも上っていた。ところが、２０１８年６月末でみると、人口は２万１８６人と１５００人も減少した。子供の数は大幅に減少して２０００人を切り、人口に占める割合は９・９%。逆に、２００５年にはわずか10%だった65歳以上の高齢者の割合は、22・５%に急増している。

自然豊かなあすみが丘で育った子供たちが、社会人になっても街に戻ってくれればよいのだが、街の持続可能性に必要なものを探しあぐねているのが、この街の現状だ。

ユーカリが丘――「成長管理」型の持続可能な開発

１９７０年代に多く建設された、都市部郊外のニュータウン。そのニュータウンが現在、住民の減少と高齢化に悩まされている。その理由は、家が、それを買った親世代の一代限りのもので、息子や孫たちが、引き続き住まないからである。一時期に集中して分譲され、その後にやってくる新住民がいない状況が続くと、街は高齢化し、活力を失っていく。

そんな状況に陥るニュータウンが多い中で、奇跡的に、今でも成長を遂げている街がある。千葉県佐倉市のユーカリが丘だ。

ユーカリが丘住宅地は、1971年に、デベロッパーの山万によって開発が始められた。山万という会社は、もとは大阪の繊維問屋であったが、1964年に本社を東京に移転、その後、住宅開発分譲業に進出した。

山万は、1979年から、ユーカリが丘の分譲をスタートさせるが、その開発手法は、大変ユニークなものだった。多くの自治体や民間宅地開発業者が、開発し分譲してしまったら「はい、おしまい」という、「分譲逃げ切り」型のビジネスモデルであるのに対して、山万は長期にわたって、住宅を少しずつ分譲していく、「成長管理」型ともいえるビジネスモデルを採用したのだ。

東京都心から京成電鉄を利用して、ユーカリが丘駅まで50分ほど。山万は、広大な住宅地内を循環するモノレールを自前で敷設し、駅から各住戸への利便性を向上させた。

そのうえで、毎年少しずつ、戸建て分譲にマンション分譲を組み合わせて、計画的に街づくりを進めてきている。その結果、この街の人口は年々増加し、1万8312人・7371世帯を擁する一大タウンに成長している。

40年前から分譲しているのにもかかわらず、2016年6月には、イオンタウンが新たにオープンしていることからも、この街の成長具合を実感することができる。

このエリアの子供（0歳から9歳）の人口は、2011年に1298人だったものが、2015年には1870人と、なんと44％もの高い伸びを見せている。新規購入者のプロフィールを見ても、30代の若いファミリーが中心になっている。

山万の宅地開発は、ただ単に住宅を造って終わりにせず、街としてどういう機能が必要になるか、街の成長とともに考えているところに特徴がある。

タウン内には、総合子育て支援センターや保育所・老人保健施設・グループホーム・温浴施設・ホテルまでを、すべて自前でそろえる。また「ハッピーサークルシステム」というシステムを採用。タウン内の、老人保健施設に移り住む高齢者の家を、買い取りリニューアルしたうえで、若い世代に再販売することで、街のライフサイクルを循環させている。

千葉県佐倉市といえば、都内への通勤圏としては、「限界立地」ともいえるところだ。現に佐倉市自体では、ここ数年で、人口が減少に向かう地区が増え始めている。ところが、ユーカリが丘は、住宅を「財産価値」のみで見るのではなく、「利用価値」「住み心地」を重視し、街の新陳代謝を、自らが仕掛けることで、街としての持続可能性を追求している。

今後テレワークが普通の働き方として定着してくれば、この住み心地の良さを標榜し、世代循環を実現しているこの街の優位性はさらに評価されることだろう。今後の成長を予感させる素敵な街がユーカリが丘だ。

第二章　「タワマン」街の明暗

豊洲——東京五輪後の新たなブランドイメージ構築が課題

「タワーマンション（タワマン）」という言葉が使われるようになったのは、いつ頃からだろうか。実はタワマンという定義は、世の中には存在しない。不動産経済研究所の調査では、20階建て以上のマンションを、超高層マンションとしてデータ集計を行っているが、この定義を使えば、2004年から2016年の13年間、首都圏（1都3県）で供給されたタワマンは、573棟17万7850戸にも及ぶ。同時期に供給されたマンション戸数の実に4戸に1戸がタワマンということになる。

タワマンといって、真っ先に思い浮かぶのが、首都圏の湾岸エリア。その中でも、江東区豊洲には、タワマンが林立するイメージが強い。

この豊洲というエリアは、1923年（大正12年）の関東大震災の際に、ガレキ処理のために埋め立てられた土地である。その後は、東京ガスなど、数多くの工場や倉庫が立地してきたが、1997年の大都市法改正での容積率の引き上げと、円高を原因とする工場のアジア地域などへの移転を契機に、「タワマンの街」として急速な変貌を遂げている。

交通は、東京メトロ有楽町線の豊洲駅、または東京臨海新交通臨海線ゆりかもめの新豊洲駅から、都心にアクセスできる。『週刊東洋経済』2016年6月28日号「都内の駅、利用者数増加率ランキング」によれば、2009年と2014年の比較で、新豊洲駅は202・

8％（1日当たり1351人から2740人）の増加率で第4位、豊洲駅が139・7％（同13万518人から18万2293人）で、第18位にランクインしている。

マンション価格もうなぎ上りだ。開発当初は新築マンションでも、坪当たり250万円程度であったものが、現在は隣接する晴海地区の新築物件で、坪当たり350万円程度、豊洲の中古マンション相場で、おおむね坪当たり300万円前半が相場となっている。

豊洲駅周辺には、「アーバンドックららぽーと豊洲」があり、子供たちに絶大な人気を誇る「キッザニア」や「ユナイテッド・シネマ豊洲」を併設する。お洒落なカフェや物販店などもオープンし、商業施設も整い始めている。

また意外と知られていないが、豊洲にはIHI、日本ユニシス、NTTデータ、住友ゴム工業など、大企業の本社が居を構えており、昼間人口も多いのが特徴だ。

2016年、そんな都心居住の象徴ともなってきた豊洲に激震が走る。小池百合子東京都知事が、豊洲新市場における土壌汚染を問題視。豊洲新市場の地下ピット部分にあるはずの盛土がない、地下水からベンゼンなどの有害物質が検出される、など問題が相次ぎ、築地市場の新市場への移転が延期され、毎日「豊洲」の名がメディアにあふれかえった。

豊洲は埋立地であるがゆえに、地震、津波などの災害に弱いイメージがあったのに加えて、土壌の問題がクローズアップされたことは、タワマン住民にとって、頭痛の種となったことが想像に難くない。さらに、好調だったマンション価格も、コロナ禍を契機に下落に転ずるのではないか、といった観測も出始めている。

現に豊洲駅から徒歩10分以上かかる中古マンションなどでは、価格の下落が噂されるようになってきている。晴海の選手村跡地で販売される、４１４５戸のマンション供給も、コロナ後の不透明な景気動向でマーケットを壊すのではないかと危惧する声もある。

新たなブランドイメージの構築が、豊洲にとって不可欠となっている。

武蔵小杉――空に向かって伸びる現代版ニュータウンの未来は?

武蔵小杉駅は、東急東横線、目黒線、ＪＲ南武線、横須賀線、湘南新宿ラインの2社5路線が乗り入れる一大ターミナル駅である。この駅からは東急線で渋谷や目黒、ＪＲで立川、品川、東京、新宿といった東京の主要な街にアクセスができる。

武蔵小杉が脚光を浴びるようになったきっかけが、ＪＲ横須賀線の新駅が開業した２０１0年度である。新駅は、東横線の武蔵小杉駅から南武線ホームを経由した東側に位置し、東横線側から歩くと優に5～6分はかかる。しかし、これまで東横線と南武線だけが交錯する、どちらかといえば目立たない駅だった武蔵小杉が、その後の東急目黒線の開通も含め、飛躍的に交通の利便性が向上したことが、この街の発展におおいに寄与したといえる。ちなみに

武蔵小杉の林立するタワーマンション群

正確には武蔵小杉という町名はなく、あくまでも駅名にすぎない。

駅周辺は、もともとNECや富士通などの工場街であり、工場の移転などに伴って、その跡地に超高層マンション（タワマン）が建設され、30代や40代のミレニアル世代が住む街として、脚光を浴びるようになった。人気上昇とともにマンション価格もうなぎ上り。中古価格は築年の浅いタワマンならば、坪当たり400万円台にまで高騰している。

階数で20階以上のいわゆるタワマンは9棟あり、1棟当たり約500戸から600戸で構成されるので、1戸3人の計算で、約1万5000人のタワマン住民が存在していることになる。

短期間における住民の激増は、この街に様々な影響を与えている。JR武蔵小杉駅の乗降人員数は、2016年度で12万8000人。これは、新駅が開業した2010年度に比べ、28％もの増加となり、早朝の横須賀線に近い新南口は、ホームに入れない通勤客で行列ができるありさまである。生徒数の激増で、2019年には駅の北口に新たに小学校も開設された。

鉄道会社も行政も、この街の膨張に何とか対応しようと、様々な対策を講じつつあるが、この街では今後2025年度末までに、判明しているだけで、さらに6棟ものタワマンが建設を予定している。あらたに約1万人もの新住民の登場は、街にとってさらに多くの課題を生むことになりそうだ。

武蔵小杉は、今後も「住みたい街」として君臨し続けることが可能だろうか。良いはずの交通利便性も、現在では駅への入場にすら不便をかこっている。街としての社会インフラの整備も、住民の激増のあとを追いかける形になっている。大都市圏のニュータウンの多くがオールドタウンと化したように、短期間で林立したタワマンも一斉に老朽化し、住民も高齢化を迎える。大規模修繕や建て替えが問題となり、高齢者施設の需要が高まる頃、この街はどのような姿に変貌しているのだろうか。

高層マンション街にひとたび大震災が生じたときに、本当に建物に損傷はなく、非常用発電設備は機能し、全ての住民の安全・安心を確保できるのだろうか。とりわけ2019年秋に関東地方を襲った巨大台風の影響でタワマン2棟が浸水被害を受けたことは、タワマンの安全神話を揺るがす大きな事件として連日報道された。

武蔵小杉は、空に向かって立ち上がった現代版ニュータウンである。街としての「持続可能性」を今後どのように実現していくのか。壮大な実験が、今スタートしているのだ。

晴海——時代の先端を行くタワマン街へ

晴海は、東京都中央区の南西部、江東区との区界に位置し、明治中期から昭和初期にかけて埋め立てられた人工島だ。当初は、太平洋戦争が始まる前の年である1940年、「紀元2600年記念日本万国博覧会」の会場として整備されたが、世界情勢の悪化を理由に博覧会は中止された。

戦後、晴海1丁目に東京国際見本市会場が建設され、東京モーターショーなど、様々な見本市が開催された。私は中央区の明石町で育ったが、晴海で大きな催しがあると、晴海通りにある勝鬨《かちどき》橋を渡る都営バスは、会場に向かう大勢の客で満杯になり、乗り切れない人々が、みな歩いて橋を行き来する姿を、日常の光景として見たものだ。

東京国際見本市会場は、通称「貿易センター」とも呼ばれ、夏は屋外プール、冬はドーム館内がアイススケートリンクになった。この場所には、晴海団地という大型の団地もあった。この団地は、当時の日本住宅公団が1950年代の後半に開発をすすめた高層団地だ。当時の最新鋭の団地ということで人気は高く、都心に通うサラリーマンファミリーの憧れの住まいだった。私も小学生の頃は、この団地に住む友達と誘い合わせて、プールやアイススケートリンクによく遊びに出かけたものだ。

時は流れ、見本市会場は千葉の幕張に移り、晴海団地も老朽化が激しくなって取り壊され、住友商事などが中心となって再開発が行われた。この地は2001年4月に晴海アイランドトリトンスクエアというオフィス、商業施設、住宅などの複合施設として、生まれ変わることとなる。

東京五輪では、晴海5丁目が選手村として整備される。そして五輪終了後、選手村として活用されていた建物を改装、さらに、新たにタワーマンションを含む新築マンションを加えた総戸数5632戸、計画人口1万2000人の一大住宅街「晴海フラッグ」として生まれ変わる予定だ。このうち、賃貸住宅1487戸を除く4145戸が分譲対象となる。入居予定は2023年3月以降になるが、販売予定価格が想定で、坪当たり300万円前後と、周辺相場に比較してやや安めの設定となりそうなことも話題を呼び、大勢の見学客で賑わったという。

問題は交通だ。晴海は都心にあっても交通の便が悪く、基本的にはバスを利用して都心にアクセスする状況は、現在も変わらない。選手村跡地のマンションも、最寄り駅を都営大江戸線勝どき駅とするが、駅まではマンション敷地入り口からでも、徒歩でゆうに20分を超える。

整備予定のBRT(バス高速輸送システム)を使えば、環状2号線で港区の新橋駅まで10分程度でつながる。しかし計画では、ラッシュ時でも1時間6本。使用される連接バスも収容人員は130人程度で、通勤電車の車両1台分にも満たない輸送力を不安視する声もある。

晴海フラッグに暗雲が立ち込めたのが、2020年初頭に世界中に蔓延した新型コロナウイルスだ。予定されていた東京五輪の開催が一年延期された。晴海フラッグの販売や引渡時期にも大きな影響が及んでいる。

1950年代後半に完成した当時の晴海団地は、高度成長時代を支えるサラリーマンファミリーの多くが集った先進的な街だった。そして令和となった現在、選手村跡地に立ち上がる新たな街は、どんな時代の顔をみせてくれるのだろうか。都心に通う通勤客の姿はこれまでの「お父さん」だけでなく「お母さん」も加わるだろう。晴海という街は常に私たちに時代の先端を見せてくれるそんな街なのだ。

神戸――脱タワマンで商業の活性化をはかる

神戸市は、兵庫県の南部に位置する人口約152万人の政令指定都市だ。六甲山地が市の東西にまたがり、海が迫る。神戸は山と海、両方の豊かな自然に囲まれ、扇状に広がる水深の深い港湾を有することから、世界の貿易港として発展してきた街である。

貿易以外にも鉄鋼、造船、機械など、原材料を輸入して加工する産業が沿岸部に発達。また古くからの港町として多くの洋館が軒を連ね、その独特の風情が観光客に親しまれてきた。神戸は行政による積極的な街づくりでも、話題となってきた。海に迫る丘陵を造成して住宅地を開発、削り取った土砂で海を埋め立て、工場を誘致した。この方式はまるで、民間会社による開発事業のようであったことから、「株式会社神戸市」とも揶揄《やゆ》された。

1981年には、埋め立てによって誕生したポートアイランドで、神戸ポートアイランド博覧会（ポートピア）が開かれ、1988年には六甲アイランドでも、最初の住宅入居が開始された。

こうした「元気な街＝神戸」が惨禍にさらされたのが、1995年1月に発生した阪神・淡路大震災である。この地震では市内のほぼ全域で震度7を観測。社会インフラの多くが損壊した。

地震の影響は神戸市を「人が逃げ出す街」に変貌させることになった。震災前の1994年に152万人だった人口が、1995年10月には142万人と、わずか1年で7％近くも減少する事態に陥ったのだ。

その後、懸命な復興事業のおかげで、街は活気を取りもどし、人口も2000年代に入って震災前の水準を上回る150万人台へと回復した。ところが、震災で神戸から転出した多くの企業が神戸に戻ることはなく、街は大阪に通勤するベッドタウンへと変質していく。住民の高齢化も悩みの種だ。

神戸市は2019年5月に川崎市に追い抜かれ、政令指定都市の人口ランキング7位に転落した。実際に人口動態をみると、神戸市は人口の社会増（転入者－転出者）がほぼゼロとなり、5000人以上の自然減（出生数－死亡数）になっている。ほぼ同じ人口の川崎市が同年で9872人の社会増、2527人の自然増となっているのとは対照的だ。ちなみに神戸市も1989年では、社会増9423人、自然増4420人。今の川崎市と同じような状況にあったことが見て取れる。

こうした状況下、神戸市は市の中心部である、三宮地区約22・6ヘクタールにおいて、住宅の新築を禁止。JR神戸駅から山陽新幹線新神戸駅までの区域約292ヘクタールでは、新しく建設する建物のうち、住宅部分の容積率を400％に規制する条例を可決した。

この条例により、対象エリアでのタワーマンションの建築は事実上できないことになった。これまで開発を積極的にすすめてきた市が、一転してタワーマンション建設の抑制に入ったのは、同エリアに住宅ではなく、街を活性化させるオフィスや商業施設などの誘致を目指すものとされる。

だが、大阪が新築オフィスやホテルの開業ラッシュで沸き返るのとは対照的に、神戸市にはオフィスの新築計画もほとんどなく、2018年度の市内宿泊者数も、451万人と前年度から16％も減少した。インバウンドの取り込みでも、大阪の後塵を拝する神戸市。正念場をどう乗り越えるか注目したい。

西宮北口——西日本ナンバー1の「住みたい街」

いくつかの住宅雑誌が実施する「住みたい街ランキング」関西圏において、ここ数年常に1位を占めている街がある。西宮北口、関西人の間では「ニシキタ」と呼ばれる街である。

ただし、「西宮北口」という町名が存在するわけではなく、この名は、阪急電鉄神戸線と今津線が交錯するターミナル駅である、「西宮北口」という駅名に由来するものである。

阪急電鉄の調査によれば、「西宮北口」駅の1日当たりの乗降人員数は約10万人にのぼり、これは、阪急沿線のすべての駅の中で、梅田、神戸三宮に次ぐ第3位に位置している。この駅からは、阪急神戸線を利用すれば梅田まで約13分、神戸三宮まで約15分と利便性が良いのが特徴だ。また今津線は、駅から北の通称今津北線で宝塚に、南の今津南線で南下すると今津駅で阪神本線に接続できる。

西宮北口駅付近の街並み

関西に住む人々にとって、大阪の中心地「梅田」にアクセスが良く、おしゃれタウンの「三宮」に近く、関西を代表する芸術の都「宝塚」に行け、今津から阪神電鉄に乗り換えれば高校野球の聖地であり、プロ野球阪神タイガースの本拠地・甲子園球場にも遊びに行ける。絶好のロケーションということになる。関東でも、これだけの利便性を誇る街は存在しないのではないだろうか。

西宮北口では最近超高層マンションが立ち並び、その姿を川崎市の武蔵小杉駅周辺とだぶらせる人も多いかもしれない。しかし、この街を歩くと明らかに異なるのは、街に漂う高級邸宅街としての雰囲気だ。武蔵小杉が、多くの工場跡地を再開発して創りあげた新しい街で、街中になにか鉄筋コンクリートの臭いが立ち込めているのに対して、この駅周辺を歩くとマンションだけではなく、敷地の広い高級住宅が立ち並び、街としての落ち着きと歴史、文化の薫りが漂うのだ。

駅南西部に２００５年にオープンした兵庫県立芸術文化センターは、最大で２０００人を収容する大ホールを持った劇場で、芸術監督に有名指揮者の佐渡裕氏が就任するなど、話題を呼んでいる芸術の殿堂である。

西宮北口がある兵庫県西宮市は、古くから関西の財界人、文化人が好んで住む街として、発展してきた。その歴史は、「西宮七園」と呼ばれる、甲子園・甲風園・昭和園・甲東園・甲陽園・苦楽園・香櫨《こうろ》園といった高級邸宅街で形成されてきている。西宮北口駅は駅北西部に甲風園を擁し、超高層マンションに住む新しい住民だけでなく、年齢層も程よく入り交じった、理想的な街の環境を生み出しているといえる。

中高年層にとって西宮北口は、プロ野球阪急ブレーブスの本拠地、西宮球場を思い浮かべる人がいるかもしれない。今その跡地には、２００８年11月に阪急西宮ガーデンズという店舗数約２６０店を構える、西日本最大級のショッピングモールが開業している。

このモールは西宮阪急、ＴＯＨＯシネマズ西宮ＯＳ、イズミヤなどの大型店と専門店で構成され、多くの買い物客で賑わっている。「ガーデンズ」という名称にみられるように、庭園をイメージした落ち着いた施設設計を目指し、地元客がくつろげる空間として誕生した。

人が集まる街を創る手法として、駅周辺部にショッピングモールを設け、その周辺にマンションを建設する試みが、多くの街でみられるようになっている。西宮北口は、いわばその先駆者ともいえる存在だ。交通のアクセスが良く、その結果として多くの人々が出入りし、老若男女が住み、歴史や文化の薫りを残す古くて新しい街、それが西日本ナンバーワンの住みたい街、「西宮北口」なのだ。

第三章　変貌してゆく大都市の中の街

新橋――「おじさん達」の聖地に忍び寄る危機

飲み会帰りの人たちが、インタビューを受ける姿が、よくテレビの画面に登場するのが、東京都港区の新橋駅前ＳＬ広場の光景である。いつのころからか、新橋は「おじさん達の聖地」と呼ばれるようになり、酔っぱらって管を巻いたおやじ達や、ネクタイを額に巻いてご機嫌なサラリーマン達が映し出される。

新橋はＪＲの主要幹線である東海道線、山手線をはじめ、京浜東北線、横須賀線、私鉄では京浜急行、東京メトロ銀座線、都営地下鉄浅草線、汐留側にはお台場に向かうゆりかもめ、都営地下鉄大江戸線など、数多くの鉄道路線が交わる交通の要衝である。

また駅前には、多数の飲食店が立ち並び、夜中まで活況を呈している。最近では、外国人ビジネスマンや観光客の姿も目立つようになっている。

どちらかといえば、飲食店街のイメージが強い新橋だが、オフィスエリアとしても高評価を受けている。官庁街を形成する霞が関、虎ノ門、大企業が集まる大手町、丸の内に近い。山手線に乗れば都内全域どこにでも行ける。汐留には高級ホテルがあり、接待などでは銀座が使える。出張なら品川から東海道新幹線、羽田空港や成田空港へのアクセスもよい。その割には、大手町や丸の内に比べて賃料は安い。エリア内には大、中、小企業が程よく分散していることが、飲み屋街でもどことなく雰囲気が崩れない原因となっている。

環状2号線道路

これまで新橋は、駅周辺に密集する飲食店と、中小の雑多なオフィスビルが混在するために、大型の再開発とは無縁のエリアだった。オフィスビルも、築30年から40年が経過した老朽化建物が多く、敷地が狭いのと土地の権利関係が複雑であることから、開発が難しかったのだ。

ところが、こうした新橋のイメージが、これから大きく変わる可能性が出てきた。それは２０１4年3月に虎ノ門から汐留までの、約１・４キロメートルに環状2号線、通称マッカーサー道路が開通したことがきっかけだ。この道路は、新橋4丁目を分断する形で通り、晴海のオリンピック会場や選手村に接続する。

現在、この沿道の土地は大手デベロッパーやゼネコンによって、壮絶な「地上げ」合戦が行われているという。都や区の上位計画では、複数の土地を組み合わせることで、容積率の緩和などを図り、この沿道が、大手町のようなオフィス街へと変貌することを示唆する内容となっている。また、新橋駅烏森口前にあるニュー新橋ビルおよび汐留口にある、新橋駅前ビルを中心に駅前再開発計画も発表され、超高層ビルへと建て替えられることが決まっている。

いっぽうで、開発から取り残される、中小オフィスビルのオーナーは高齢化が進み、相続や事業承継という厄介な問題が、目前に迫ってきているのも、新橋の隠れた実態である。

こうした変化は、新橋に何をもたらすだろう。外資系企業やIT通信系企業の社員などが集まる街へと変貌していくのだろうか。新橋から、あのおじさん達の平和な姿が消え去っていく運命なのかもしれない。

しかし、大手町のような街だけがたくさんあっても、そこに新たな文化は生まれにくい。ぜひ再開発では、「新橋」の持つどこかノスタルジックな街の雰囲気を継承し、若者やおじさんが集い、遊ぶ新たな文化を創り出していただきたいものだ。

池袋——新しくチャイナタウンへと変わりゆく街

私が池袋に勤めていたのは、銀行員だった1985年のことだ。「外回り」と呼ばれる取引先課担当だった私は毎朝、池袋西口にある支店から銀行かばんを抱えて、徒歩3分の駐車場にある、営業用車両スバルレックスに乗るために街中を歩いた。

北口は飲食店とソープランド、ラブホテルが軒を連ねる、ちょっと猥雑な雰囲気の街だった。夕方、営業を終えて車両を駐車場に止め、銀行まで戻る頃には、多くの飲食店が店を開け、ストリップ小屋の踊り子が、銀行への道を急ぐ私に「おいでおいで」と、なまめかしく手を振っていた光景を、今でも思い出す。

池袋は、池袋駅を中心とした駅周辺部を指していて、「池袋」という町名は存在しない。池袋駅はＪＲ山手線、埼京線、湘南新宿ライン、東武東上線、西武池袋線、東京メトロ丸ノ内線、有楽町線、副都心線の８路線が乗り入れる、１日当たり乗降客数２６２万人の大ターミナル駅だ。この駅を囲むように、西口一帯が西池袋、東口のサンシャイン側が東池袋、同じく東口の豊島区役所のある方が、南池袋というように街が分かれている。

２０１４年、池袋が属する豊島区が、日本創成会議から全国に８９６ある「消滅可能性のある自治体」のひとつに名指しされ、東京23区でも、消滅する可能性がある自治体があるということで、大きな話題となった。また豊島区は、23区内では空き家率が15・８８％（２０１３年）と都の平均11・１％を大きく上回って、都区部で、最も空き家が多いというあまりうれしくないレッテルを貼られた。

この状況の背景には、人が集まるはずの街である池袋周辺のマンションの多くが、投資用の狭小ワンルームマンションばかりで、ファミリー層が住めず、単身者が結婚をすると、池袋周辺には適当な部屋がないので、区外に脱出してしまうといった悪循環が存在した。

　そこで豊島区では、２００４年に狭小住戸共同住宅税を導入して、マンションで戸当たり面積30平方メートル未満の住戸を造る場合には、戸当たり50万円を徴収することにした。しかし、これだけでは効果は少なく、２０１４年には、一定規模以上のマンションの新築にあたって、住戸面積は最低でも25平方メートル以上とすることを条例で定める。事実上ワンルームマンションを造らせない措置に踏み切ったのだ。

　しかし、すでに建ってしまっているワンルームマンションに、最近では外国人の姿が目立つようになった。彼らの多くが中国人だ。池袋周辺のワンルームマンションは、平成バブル期にサラリーマンなどの節税用投資マンションとして販売されたものが多い。初めのうちは、学生や若いサラリーマン層が入居していたが、建物の老朽化や競合の激化を背景に、次第に競争力を失い、賃料も5万円から6万円程度に落ち込み、その部屋に外国人が好んで住むようになったのだ。

　今、池袋北口を歩くと、この街はチャイナタウンに変貌している。ここに集まる中国人たちは、１９８０年代以降に日本にやってきた、「新華僑」と呼ばれる新しい中国人たちだ。街にある中華料理店は、日本人向けのメニューではなく、中国人好みの味付けを供する。飲食店だけではなく、貿易や不動産、旅行代理店、ＩＴ、出版などが入る雑居ビル、中国食材の販売店などがひしめくようになっている。

地元日本人との融合を図る中国人も一部にはいるが、新華僑は神戸や横浜にやってきた老華僑とは異なり、自主独立を好む傾向もある。彼らの存在が、これからの池袋の街をどう変貌させていくか、注目される。

銀座――復権をとげるハイソなブランドイメージ

日本の中心都市東京の、さらに中心の街が銀座だ。銀座といえば、四丁目交差点にある和光や三越、三愛などを思い浮かべる人が多いと思うが、街の区域は意外と広く、一丁目から八丁目まで存在する。八丁目と新橋との境にある、東京高速道路の高架下あたりをシャレで「九丁目」と称し、「銀座ナイン」という商業ビルや、同名のお店が複数存在するが、九丁目は実在しない。

銀座は、江戸時代に埋め立てられた島で、東は三十間堀川、西に江戸城外堀、北には京橋川、そして南は汐留川に囲まれていた。当時の「銀座」は、銀貨幣を鋳造する製造所のことをいい、駿府にあった銀座が江戸に移転し、幾多の変遷を経て今の区域が銀座と呼ばれるようになったという。

現在では、東に首都高速道路都心環状線が、そして環状線をワープする形で南、西、北に東京高速道路が巡らされている。昔は川や運河に囲まれていた銀座は、現代では、高速道路に囲まれた街なのである。

銀座といえば、商業のイメージが強い。百貨店や専門店が軒を連ね、日曜日には歩行者天国で大勢の買い物客が集まる。常に「人が集まる街」として注目を浴び続けるのが、銀座なのである。人が集まる街は不動産が高い。銀座四丁目の山野楽器本店前は、1坪1億8000万円以上と、全国で一番地価が高い場所として有名だ。そしてこの銀座をハイソな街として支えてきたのが、富裕層たちと、日本の発展を支えてきた中間層たちだ。

明治維新以降、武蔵野台地の東端にあった四谷や麴町から、赤坂や麻布といった旧武家屋敷に住むようになった政府関係者や文人、財閥などの富裕層が通う街として、銀座は支えられてきた。また、勃興する中間層が銀座の街に集まり、モダンボーイやモダンガールを略した「モボ」「モガ」、みゆき通りに集まる「みゆき族」など、時代を象徴する風俗・文化をリードしてきた。

そんな銀座に危機が訪れたのが、1980年代から1990年代である。東京の街が西へ西へと拡大する中で、時代をリードする中間層が新宿や渋谷、池袋といった副都心へと集まり、新たな文化の創造を始めたのである。また、銀座は街並みを守る意図から「銀座ルール」と呼ばれる厳しい開発規制を行ったことから、人が集まらない街になり、プランタン銀座や数寄屋橋阪急の閉店、隣接する有楽町の阪急や西武百貨店の撤退など、暗い話題が続いた。

だが、最近は銀座ブランドの復権が目覚ましい。東京の西への拡大が鈍り、住民の「都心回帰」が始まったこと、そして、訪日外国人観光客の急増が復権の主たる原因である。今や平日休日を問わず、中央通りや晴海通りには観光バスから降り立つ外国人観光客の姿でごった返す光景がみられる。こうした光景に眉をひそめる向きもあるが、銀座はこれまでも幾多の危機を、自らのブランド力で乗り切ってきた。

銀座は今日でも新宿や渋谷、池袋と異なり、ゲームセンターやパチンコ店、家電量販店やカラオケボックスなどがほとんどない。チェーン店も大通り沿いで見かけることはほとんどない。銀座は、他の繁華街と同じであってはならないのだ。

また、銀座には超高層オフィスは似合わない。現在では、建物の高さは、昭和通りよりも西側のエリアでは56メートルまでに制限されている。こうした銀座の意固地ともいえる姿勢が、銀座を唯一無二の街にしている。最近では物販、飲食店に加えて、お洒落なホテルが進出し始めた。ホテルは、商業系店舗との相性は抜群だ。銀座の新たなイメージが、また醸成されている。「人を集め続ける街銀座」の発展に、大いに期待したい。

渋谷——東京一の大変貌で、時代についていけるのか？

東京の渋谷といえば、毎年ハロウィンやサッカー、野球の国際大会時に一部の若者たちによるバカ騒ぎばかりが目立つ街、という印象が強い。

だが、この街はこれからの10年で大変貌する、東京ではもっともビビッドな街でもある。

渋谷駅は4つの鉄道会社の9つの路線が入る一大ターミナル駅だ。ＪＲは山手線、湘南新宿ライン、埼京線、東急線は東横線と田園都市線、京王電鉄は井の頭線、東京メトロは銀座線、半蔵門線、副都心線の9路線だ。

これだけの路線が集中する駅にもかかわらず、２０１３年に東横線渋谷駅が地下化して以来、利用者の評判はあまりよろしくない。地上部での再開発工事の影響もあって、駅構内は深く、地上部までの経路は複雑怪奇を極める。こうした不便さは、特に商業施設の顧客の評判を落とし、副都心線でつながった新宿三丁目の伊勢丹などに、人の流れが変わるような事象も報告されている。

いっぽうで、着々と進むのが駅周辺での再開発事業である。現在、渋谷駅周辺だけでも、約11もの再開発計画が進行中だ。２０１８年秋に完成したのが渋谷ストリーム。東横線の旧渋谷駅の南側部分を中心に開発されたこのプロジェクトは、地上35階建て延べ床面積11万6

2019年2月、渋谷駅の工事の様子

000平方メートルもの、巨大プロジェクトだ。テナントにはグーグルを迎え、これまで暗渠だった渋谷川を整備して、並木橋に至る約600メートルの遊歩道を整備し、話題を呼んだ。

2019年2月には、宇田川町でAbema Towersが竣工。インターネットテレビのAbemaTVを持つサイバーエージェントが、一棟借りする。また。同年3月には南平台に、延べ床面積4万7000平方メートルのオフィスビルが竣工、Voyage Groupなどの入居が始まった。同年秋には、渋谷駅上の渋谷スクランブルスクエアの第一期工事が竣工し、オフィス部分にはミクシィなどが入居、道玄坂一丁目の渋谷フクラスには、東急プラザとオフィステナントとしてGMOが入居した。

さらに、2022年春には、道玄坂二丁目でドン・キホーテが事業主となっている、オフィスとホテルなどの複合ビル、２０２３年秋には、渋谷駅桜丘口での市街地再開発事業で、延べ床面積25万４８００平方メートルの複合ビルが竣工予定。渋谷二丁目17地区でも、２０２４年予定のオフィスビル計画が、発表されている。

オフィスだけではなく、宮下公園の再整備やパルコ、渋谷区役所、ＮＨＫ放送センターの建て替えも予定されている。またハチ公広場は、以前の１・５倍の面積に整備され、銀座線は駅東口側に移動、ＪＲ埼京線ホームも現在の山手線に並ぶ形で整備され、交通導線にも大幅な改善がなされ、この10年で街は大変貌をとげる予定だ。

さて、「百年に一度」と謳われる大再開発。今のところ、オフィス部分のテナント誘致も順調だ。だが、これらの計画が成就する、向こう10年を見据えた世の中の変化に、果たして渋谷はついていけるのだろうか。

これらの計画は、どちらかといえば昭和・平成時代のハード偏重主義の考え方をもとにした大規模再開発だ。人々の暮らし方や働き方は今後10年、20年で大きく変貌しそうだ。つまり、大規模空間に働き手を集めて仕事をさせる働き方や、大規模商業施設で買い物をさせるという、人々のライフスタイルが今後も継続する、という前提がこれらほとんどの計画の根底にある。

すでに、都心部にはコワーキング施設のWeworkが存在感を高め、フリーアドレスや、テレワークがあたりまえの就業形態になる中、オフィス空間を必要としない企業も増え始めている。渋谷がどんな未来像を描くことができるか注目される。

天王寺——あべのハルカスの光と影

大阪の代表的繁華街といえば、「キタ」と呼ばれる梅田近辺の北新地と、「ミナミ」と呼ばれる心斎橋から難波近辺が、全国的にも有名だ。しかし、大阪在住の人からみれば「天王寺」も大阪市南部を代表する、いわば、第3の繁華街といえる存在だ。

天王寺というお寺は実際には存在せず、天王寺駅の北側には、四天王寺というお寺が存在するのみだ。天王寺駅は、大阪市の天王寺区と阿倍野区にまたがっており、JR大阪環状線、関西本線、阪和線および地下鉄谷町線、御堂筋線は天王寺駅、近鉄南大阪線は阿部野橋駅、阪堺電車上町線は、天王寺駅前駅というややこしい名称になっている。

駅こそ「天王寺」の名前が中心だが、駅前から続く繁華街は「あべの」と呼ばれる。あべのの街は、古くから多くの飲食店街が軒を連ね、風俗店も多くやや猥雑な印象を受ける。東京などから大阪に出張でやってくる人間にとっても、「あべの」は地元の人と一緒でないと、「ミナミ」以上にハードルが高いというのが、共通した見解だ。

ところが、この天王寺に大変革が起こったのが、2014年3月に竣工した「あべのハルカス」である。あべのハルカスは、高さが日本最高の300メートル、地上60階建て、延べ床面積21万2000平方メートル、低層部に近鉄百貨店を中心とした商業施設、中層階に美術館とオフィス、そして高層階に大阪マリオット都ホテルが入居する複合ビルとなっている。

この建物は、リーマン・ショックが冷めやらぬ2010年に着工され、その巨額の建設コストに対して、賃料などの収入予測が危ぶまれ、事業主の近鉄グループの経営を揺るがすのではないかと心配された。とりわけ、当初は本社をこのビルに移転するのではないか、と思われたシャープが経営危機に陥り、テナント確保は困難を極めるのではないかといわれた。

しかし、2014年の完成後は大阪の新しいシンボルタワーとして、「平成の通天閣」とも呼ばれ人気を博している。関西空港に近いことから、インバウンド効果も期待でき、いまでは天王寺駅に降り立つと、関西弁ならぬ様々な言語が飛び交うグローバルな街に、変貌を遂げている。地元だけだった顧客構成が、大きく変わったのである。

隣駅の新今宮でも、星野リゾートが新しいホテルをオープンさせる計画を発表し、天王寺周辺は、インバウンド景気とも相まって活況を呈している。

いっぽうで、あべのハルカスの17階から36階のオフィスフロアを見ると、17階および18階の金融フロアは地元地銀、その他の階もクリニックや大学、事業主の近鉄グループの関連会社、建物建設に関わった関連業者などで、ほとんどのフロアが占められている。ワンフロア

あべのハルカス

２４００平方メートル（７３０坪）もの広大な面積を使うには、やや物足りないテナント構成であることは否めない。

現に、33階の１４００平方メートルを賃借していたシャープの営業拠点が、２０１９年3月に、同社の八尾事業所に移転した。大阪が、外資系などの金融機関やグローバル企業の本社などの大型テナントを集めることが難しいとされる中で、この巨大オフィスの維持が、どこまでできるのか、今後の行く末が注目される。

ハードとしての建物は素晴らしい。しかしオフィス、商業、芸術、ホテルの複合は導線が複雑なだけで、建物内での人の交流はほとんどないとの指摘もある。天王寺の街のシンボルが、真の意味で街を魅力的に彩ることができるか、これからが正念場といえよう。

ミナミ――インバウンドで急成長する大阪の代表的繁華街

大阪のミナミといえば、大阪を代表する繁華街だが、ミナミという地名があるわけではない。ミナミは大阪市の中央区と浪速区にまたがるエリアにあり、道頓堀、難波、千日前近辺の繁華街を指す。この付近は、宗右衛門町・九郎右衛門町・櫓町・坂町・難波新地で構成される難波五花街と称されたが、戦後、花街は姿を消し、代わって劇場、映画館、バー、キャバレー、飲食店などが立ち並ぶようになったのだ。

ミナミといって、多くの日本人が思い浮かべるのが、道頓堀川に架かる戎橋《えびす》だろう。戎橋のたもとに、グリコやかに道楽の巨大な看板や、ドン・キホーテのど派手なネオンが瞬くさまは、今や大阪名物といってよいだろう。プロ野球の阪神タイガースが優勝をした年には、歓喜のあまり多くのファンが戎橋から川に飛び込み、全国で話題となった。

千日前と道頓堀川に挟まれたエリアには、水掛不動尊で有名な法善寺がある。この寺で水かけをして願をかけると、商売繁盛や恋愛成就につながるということで、広く地元民に親しまれてきた寺である。また、この寺の北側には織田作之助の小説『夫婦善哉《めおとぜんざい》』や藤島桓夫の歌謡曲で有名な法善寺横丁があり、割烹料理店やバー、お好み焼き、串かつ店などが軒を連ねる、風情ある通りだ。

ミナミの道頓堀

これまで、ミナミはもっとも大阪の匂いが立ち込めるエリアであるがゆえに、東京などから出張でやって来るよそ者には、ハードルが高いと思われてきた。実際に、かつては戎橋あたりを歩くと強烈な関西弁が洪水のようにあふれ、たまに東京からやってくる私にとっても、相当なプレッシャーを感じる街だった。

ところが今、ミナミを歩くと、聞こえてくるのは得体のしれない外国語ばかりである。甲高いイントネーションの中国語はもちろん、韓国語、英語、タイ語、タガログ語など言葉の洪水状態だ。地元民以外にはハードルの高かったこの街に堂々と踏み込んできたのは、外国人観光客である。

大阪を訪れる外国人客数は、２０１７年ですでに１１００万人を超え、１３００万人の東京に急迫している。彼らは道頓堀で、地元民と同じように、歩きながらたこ焼きを頬張り、お好み焼きや串かつに舌鼓を打つ。彼らが好むのは、天ぷらや寿司というよりも、地元民が普通に口にするソウルフードなのだ。また、足を延ばして訪れる堺筋の東側、黒門市場もお気に入りだし、千日前道具屋街に繰り出して、キッチン用品や食品サンプルを買い求める。

外国人観光客の殺到は、ミナミの経済を活性化させた。商店街には、ドラッグストアが林立。全国のドラッグストアブランドは、そのほとんどがミナミ界隈に進出しているといわれる。ホテルも開業ラッシュだ。2019年に、新たに開業したホテルは、約40棟9000室にも及び、その多くがミナミ近辺だ。2020年には、さらに4000室の開業が見込まれ、大阪市のホテル客室数は、総計で7万室になるという。宿泊客のインバウンド比率が90％を超えるホテルも多くなっている。インバウンド客への期待は大きい。

こうした活況を裏付けるように、2018年の地価公示では、御堂筋沿いの商業ビル「クリサス心斎橋」前の地価が、坪当たり5223万円をつけ、キタのグランフロント大阪前の4958万円を上回り、初めてミナミが、大阪の地価ナンバーワンに躍り出た。

いっぽうで2020年初頭、日本をはじめ世界に襲来したコロナ禍は、このインバウンド一色だったミナミの街に強烈なアゲインストの風を吹き付けた。感染症は新型コロナに限った話ではなく、かつてはSARSやMARSといった形で日本にもやってきている。

ミナミはしたたかな大阪商人の街。かならずや何事もなかったかのような復活をみせてくれることだろう。

第四章　模索が続く大都市郊外

逗子市――いずれも陰りが見える、瀟洒な街の2つの顔

神奈川県逗子市。三浦半島の付け根に位置し、北西部で鎌倉市、北東部で横浜市、南部で葉山町、東部で横須賀市に接する、人口約5万7000人の街である。街の中央を、東西にJR横須賀線が鎌倉から横須賀方面へ横断し、北東部からは京浜急行逗子線が入るが、この路線は逗子が終点となる。

この街には2つの顔がある。ひとつは披露山《ひろやま》庭園住宅と呼ばれる、1960年代後半に開発され、1970年代に分譲された高級邸宅街としての顔。そしてもうひとつが、古くから多くの若者を集めてきた、逗子海岸と呼ばれる海水浴場としての顔である。

披露山庭園住宅は、逗子市小坪に位置し、小坪山（通称・披露山）と呼ばれる、標高100メートルほどの小高い丘の上に開発された住宅街だ。ここからは相模湾を一望でき、眼下に小坪マリーナや逗子マリーナを見下ろすことができる。

1区画当たりの敷地面積は、平均で300坪を超え、建蔽率がわずか20％という厳しい制約を課せられた瀟洒な邸宅街で、多くの著名人が住む「憧れの街」として一世を風靡してきた。この街はJR逗子駅からバスで約10分。ただし、バスは披露山庭園住宅街の入り口までなので、個々の邸宅までは徒歩でアクセスしなければならず、決して利便性の良い住宅街とはいえない。

披露山公園から望む逗子市の風景

しかし、このエリアの中古住宅は、築30年以上の物件でも2億5000万円から4億円程度の価格が付されている。考えてみれば、この邸宅街に住む著名人は、ここからバスや電車を利用して東京に通勤するような人種ではなく、セカンドハウスやゲストハウスとして利用する人たちなのだ。電車の利便性など関係ないというわけだ。

披露山庭園住宅街は別格としても、逗子は気候が温暖で、風光明媚な湘南エリアとして人気を博し、北西部の久木で西武不動産が開発した逗子ハイランドは、サラリーマンの中でも、功成り名遂げた人が住む憧れの住宅街だった。

しかし、1990年代の後半以降、急速に都心居住が進む中、逗子ハイランドの存在感は薄れていく。平成バブル時は1億円を超えた中古価格も、現在では3000万円程度にまで落ち込んでいる。

逗子ハイランドは、披露山ほどのステータスを確立できなかったのだ。

さて、逗子のもうひとつの顔である海水浴場は、その顔色がさえない。今から50年前の1967年には年間235万人にも及んだ海水浴客も、2017年には29万人と、その数は1割程度にまで減少している。

人々の夏のレジャーが多様化したこともあるが、海水浴客減少の引き鉄を引いたのは、2013年度に実施された条例改正だ。海の家の開設期間の制限と延長時間の禁止措置。また、海水浴場での飲酒やバーベキューの禁止。スピーカー等の拡声器の使用禁止など、多くのルールが盛り込まれた。閑静な住宅街としての、環境を守ろうとして設けられたルールであるいっぽうで、逗子の魅力のひとつでもあった夏の風物詩を、自らの手で葬ってしまったのだ。

住環境は守られたのかもしれないが、逗子は、若者がやってこない、高齢者ばかりの活気のない街に変わりつつある。総務省実施の住宅・土地統計調査によれば、市内の個人住宅の空き家は、2013年度で約1600戸。10年間で2倍以上の増加となった。国立社会保障・人口問題研究所の推定によれば、2040年に逗子市の人口は約4万7000人、市内における14歳以下の若年層の比率は、わずか9・4%の街となる。

その時までには、逗子のことをかつてのように、海岸を若い男女が闊歩するような、活気あふれる街という人はいなくなり、しんと静まり返った空き家と、独り暮らしの老人の街と呼ばれるようになっているかもしれない。既存の住民の権利保護と街としての新しい方向性、その分岐点に逗子は悩まされているのだ。

船橋市――「商都」が直面している、老朽化の問題

船橋市は、千葉県北西部葛南地域に位置し、人口63万8000人の中核市だ。県内では、県庁所在地となっている千葉市に次いで人口が多く、県の行政機関が集まる千葉市が「県都」と呼ばれるのに対して、船橋市は「商都」と呼ばれることが多い。

というのも、この街は古くから、交通の要衝として栄えてきた歴史があるからだ。江戸時代には、海老川の河口域にある、地の利を生かした水運で栄え、佐倉街道や御成街道が通り、宿場町としても栄えてきた。

現代でも、船橋市内には多くの鉄道が走っている。東西に走る鉄道は、北から順に、京成成田空港線、北総線、東葉高速鉄道、JR総武線・総武本線、京成本線、JR京葉線。南北に走るのはJR武蔵野線、東武野田線、新京成線。なんと市内を横切る鉄道は、10路線37駅に及ぶ。

充実した鉄道網によって、船橋市は、東京に通う勤労者のベッドタウンとして注目された。1960年代後半くらいから、街には多くの団地が建設され、民間の分譲マンションがこれ

には、高級分譲住宅地が誕生した。京成本線・海神《かいじん》駅周辺の海神台住宅地、花輪台と呼ばれた現在の宮本付近などに追随した。

多くの人々が集まるためには、充実した商業施設が求められる。1967年には、JR船橋駅南口に西武百貨店（2018年2月閉店）が、1977年には、北口に東武百貨店がオープン。1981年になると、南船橋の船橋ヘルスセンター跡地に、ららぽーとがオープンする。ららぽーとは、首都高速道路湾岸線の開通を見越し、モータリゼーション社会が日本にも来る、と読んだ三井不動産が、高速道路インター近くに大型の商業施設を建設したもので、日本でも新しい試みだった。

船橋は「遊び」の街でもある。中山、船橋の2つの競馬場。競艇、競輪、オートレース（2017年閉鎖）など、ギャンブルの街としての印象が強かったのは、昔から宿場町として栄え、多くの人々が行き交った証しでもある。

ギャンブルとは異なる、健康的な遊び場として登場したのが、1993年にオープンした、スキードームザウスである。当時、日本最大の屋内スキー場としてオープンしたザウスだが、バブル崩壊や、常に館内をマイナス4度程度に維持する、空調費などの負担の重さに耐えかねて、2002年で閉鎖。バブルの象徴とも揶揄された。その跡地では今、現代のライフスタイルを提言する、イケアの大型店が居を構える。

東京のベッドタウンとして栄える船橋だが、課題もある。既存団地や分譲マンションの老朽化だ。市の調査によれば、2018年1月時点での市内の分譲マンションは、1177棟・6万4848戸。このうち、棟数の52・3％・戸数の35・0％が、築30年以上のマンションだ。築年数の古いマンションほど、管理費の滞納も増えている。調査対象の50％以上の管理組合で滞納が報告されており、「3カ月以上滞納している世帯がある」と答えた管理組合の割合は、35・8％にも及んだ。

実際に船橋市内でも、築年数が40年程度の中古マンションは、300万円から400万円台と、車1台分ほどの価格になってしまっている物件も珍しくない。

東京に通勤するためだけの街から、外部から人を呼び込む街に、船橋は脱皮が求められているのだ。

川口市――キューポラから高層マンションへ、課題も変わる

川口市は、埼玉県の南東部に位置する、人口約60万人の中核市である。市の南には荒川が流れ、川を挟んで東京都の北区と、東部では足立区と接する。街の中心は、JR京浜東北線・川口駅周辺だ。川口駅は、1日平均乗降客数が16万8000人を数え、駅前には、百貨店のそごうや、スーパー・専門店・学習塾などが集積する。

江戸時代、日光街道の脇街道である日光御成道が通り、川口宿や鳩ヶ谷宿などの宿場町が発展してきた。また、農閑期などを利用した鋳物工業が盛んで、鍋・釜などの日用品を製造し、豊かな水運を利用して、大消費地である江戸に運んでいた。特に江戸時代末期には、幕府からの発注で、大砲や砲弾などの製造も行われるようになった。

戦後も、高度経済成長期を通じて、鋳物を中心とした工業都市として発展した様子は、1962年の日活映画で、吉永小百合が主演した『キューポラのある街』で、うかがい知ることができる。「キューポラ」とは、コークスの燃焼熱によって鉄を溶かし、鋳物の原材料とするための、シャフト型の溶銑炉のことをいう。炉の高さは数十メートルにも及び、末広がりの円筒状をしている。それが川口の街中に林立し、一種不思議な景観を形成していたため、「キューポラのある街」と称されたのだ。

1964年、東京五輪が開催された際、旧国立競技場に設置された聖火台は、川口の鋳物工場で製造されたもので、川口の鋳物は、世界にその名を馳せていたのである。

だが、鋳物工場の多くは、従業員が30人未満の中小工場が多く、東京に通勤する人口が増えていく中で、地盤沈下や騒音の原因となる鋳物工場は、移転を余儀なくされるようになり、街の姿は次第に変容していく。

川口駅は、京浜東北線で東京駅まで20分、埼京線で池袋駅まで11分、新宿駅まで17分と、抜群の交通利便性が評価され、鋳物工場の跡地には、続々と高層マンションが建設されるようになる。東京に通勤する人々の流入により、街は活気にあふれ、多くの商業施設が集積するようになったのだ。

川口駅周辺部の活況とは裏腹に、川口市の大きな問題が、市中央部の交通問題だった。1990年代までは、市内における鉄道駅は、市の西側を走る京浜東北線の川口駅・西川口駅と、北側をかすめる武蔵野線の東川口駅のみで、これらの駅を除いたエリアは、いわば「陸の孤島」であった。

この問題を解決したのが、2001年に開通した埼玉高速鉄道だ。この鉄道の開通により、市のほぼ中央部に、市の南端の川口元郷駅から北端の東川口駅まで、6つの新駅が誕生した。さらにこの鉄道が、東京メトロ南北線に乗り入れたことから、市内の交通問題はかなり改善されることになった。

今後の課題は、キューポラに代わって林立した、高層マンションの将来だ。1998年に川口市元郷に竣工したエルザタワー55は、当時、日本一高い超高層マンションとして一世を風靡した。このマンションでは、2015年から2年をかけて、大規模修繕工事が実施された。日本初の超高層マンションであるために、大規模修繕工事も日本初となったのだ。総工費12億円。市内で今後多発する大規模修繕工事とも、街は向かい合っていかなければならない。キューポラのように取り壊すのは容易ではないからだ。

三浦市——漁業・農業の魅力は、都心へのアクセス難に勝てるか？

三浦市は、神奈川県の三浦半島の南端にある、人口4万2000人の街である。東は東京湾の浦賀水道に面し、西は相模湾、南は城ヶ島から太平洋を望む海の街だ。

主要な産業は、漁業と農業。市内には、遠洋漁業の拠点である三崎漁港がある。三崎漁港は国内有数のマグロの水揚げ港であり、ここで水揚げされたマグロは、東京方面に出荷される。

三崎は、「マグロの街」として観光客も多く訪れる。この港に揚がった新鮮なマグロを味わおうと、休日ともなると、有名店の前には長蛇の列ができる。最近は、外国人観光客の姿も多くみられるようになり、賑やかな光景になっている。

三崎港のほかにも、間口・金田・初声《はっせ》・毘沙門の4つの漁港があり、近海ものの魚が豊富にとれる。この近辺は、遊漁船が多いことでも有名である。

三浦半島の東端にある剣崎には、多くの釣り宿が軒を構える。春の産卵期を迎えた乗っ込みマダイ、夏のイサキやマルイカ、秋のワラサ、カツオやヤリイカ、そして冬のアマダイ、カワハギなど、太公望を飽きさせない。

以前の遊漁船は、漁師の副業にすぎなかったために、顧客サービスが行き届かない面も

三崎漁港

多々あったが、現在では、そのほとんどが専門の遊漁船の看板を掲げ、船長が2代目、3代目の時代になって船も大型化し、洗練されたサービスを展開する店が増えている。
魚ばかりが注目されるが、この街のもうひとつの主力産業が、農業だ。三浦市は三方を海に面しているが、市域の多くが、標高50メートルから60メートルの高台にある。この台地は比較的平坦であるため、農業が盛んだ。
中でも有名なのが、三浦大根だ。この大根は白首大根で、煮物にしても崩れにくく、三浦半島では古くから栽培されてきた。しかし現在、三浦を訪れても、三浦大根を目にする機会はほとんどない。1979年に三浦半島を襲った大型の台風20号の影響で、三浦大根は大きな被害を受けたのだ。その後は、小ぶりで甘みがあり、人気が出ていた青首大根に主役の座は代わり、三浦で生産される大根のほとんどが、青首大根になっている。

三浦の大根へのこだわりは、こればかりではない。三浦大根と、アメリカやドイツの大根との交配を重ねて品種改良を進め、「レディーサラダ」の名称で売り出している。この大根は、外皮がピンクを帯びた赤色をしているのが特徴で、美しい色合いで、皮ごと食べられる便利さもあわさって、サラダの素材として人気を博している。

大根のほかにも、キャベツやカリフラワーなどの野菜、スイカやメロン、ミカンなどの果物も、東京などの大消費地に送られている。

三浦の課題は、人口減少と住民の高齢化だ。東京への通勤圏としては限界立地で、都心居住志向を強める、現代サラリーマンの住宅地としての人気は、今一つだ。では、観光地としての発展はというと、京浜急行の終着駅である三崎口駅と、観光拠点である三崎や城ヶ島とは遠く離れ、バスでのアクセスを余儀なくされる。今も昔も観光地として人気のある、湘南エリアに行こうにも、鉄道を利用しようとすれば、いったん金沢文庫に戻って、地下鉄で戸塚に出て、JR線に乗るなどという、四角形の三辺を行くような事態となる。

ただ流れは変わりつつある。人々の働き方がコロナ後に大きく変容しそうなのだ。都心への通勤がリスクと認識され、テレワーク中心の働き方が奨励されてくるにつれ、三浦での中古住宅などの不動産に関する問い合わせが増えている。

中長期滞在型の観光や二拠点あるいは多拠点移住の地としての、新しい街の姿に期待したい。

第五章　新陳代謝を仕掛ける街

川崎市――人口の入れ替えが活発な「健康」な街

街が発展する大きな要素として、「街の新陳代謝」がある。新陳代謝とは、その街に大勢の人が、出入りすることを指す。つまり、街を人間の体にたとえるなら、常に不要な老廃物が体外に排出され、新しい血液が、体内に注がれるようなイメージだろうか。

なぜ、新陳代謝が活発であると、街が元気になるのだろうか。人の出入りが活発であれば、不動産が大いに「動く」から、である。

新しく街にやってきた人たちは、家財道具を買う、新しい店を見つける、外食をする、つまり街の消費が活発になる。新住民が増えれば、それを目当てに新しい店が出店をする。好循環が、街の発展に寄与するのである。

さて、この視点から眺めると、街の健康状態がよくわかる。まずは、新陳代謝が活発な街として神奈川県川崎市を取り上げよう。

川崎市は、東京都との境目に位置し、多摩川の河口から川沿いに北西に遡り、北は調布市、西は多摩市と隣接する、面積約１４４・35平方キロメートルの自治体である。市域は東西に細長く、北から小田急線・東急田園都市線・東横線・横須賀線・東海道線が市内を横切る。いっぽう、市内を東西に貫くのは南武線しかない。

川崎市はいわば、東京と横浜の接着剤のような位置付けともいえよう。人口は約１５０万人。１９８８年は約１１４万人だったから、毎年、約1万人強増加していることになる。しかし、その数値をよく見ると、たとえば、２０１８年の転入者は9万３５８３人、転出者は８万７０９６人である。なんと、約12％もの人口の「入れ替え」が行われている。

転入者が多いことは、若い世帯が多いことにもつながる。川崎市の人口の自然増減は、２０１８年で見れば、出生者数1万４３６１人に対して、死亡者数は1万１７３人と、４１８８人もの自然増を達成している。この数値は、実数ベースでは、全国８１４自治体のトップに該当する。

北西部は、１９７０年代から１９８０年代にかけて、小田急線の読売ランド駅や新百合ヶ丘駅周辺、田園都市線の宮前平駅や鷺沼駅周辺などの、瀟洒な住宅街が開発されてきた。当時のサラリーマンにとっては憧れの街だ。

中原区の武蔵小杉駅周辺は、タワマンと呼ばれる超高層マンション街が形成されている。かつては、ＮＥＣや富士通の工場が林立していたが、都心まで30分程度でアクセスができる利便性が好感され、今では、比較的年収の高いエリートサラリーマンが住む街として脚光を浴びるようになった。

タワマンに住む、年収１０００万円以上の世帯の30代・40代女性は、「ムサコマダム」などと呼ばれる。現在の新築マンション相場は、坪当たり３００万円代半ば。２０００年代初めにマンションを買った層などは、相当の含み益が生じていることとなる。

２００6年、東芝堀川工場の跡地に開業した「ラゾーナ川崎プラザ」は、ＪＲ駅に隣接するショッピングモールとして、年商７５０億円を超える、日本有数の商業施設となっている。川崎市は、高度成長期には、「公害の街」として知られる街だった。ところが、公害の原因だった工場跡地を活用して、タワマンやショッピングモールといった、現代日本を象徴する社会インフラを備えた今、最も輝く街へと見事な生まれ変わりを遂げているのである。

福岡市——アジアのゲートウェーとして人を集める国際都市

九州を代表する街といえば、福岡市。今、福岡が元気だ。１９８7年には、１１9万３０００人だった人口は、２０１7年には１５6万７０００人に達した。30年で、31％もの増加を果たしている。福岡は今や、東京都区部、横浜市、大阪市、名古屋市、札幌市に次ぐ、日本で5番目に人口の多い街に成長した。

福岡は、人口が増加しているだけではない。人口１０００人当たりの移動者が多い、「新陳代謝ランキング」でも、全国自治体の15位にランクインする。２０１6年のデータによれば、福岡市は年間で10万８０００人の人が流入し、10万１０００人の人が流出するという、「人の出入り」の活発な街なのである。

博多港空撮

福岡は、地政学的にも、非常に優位な立地にある街だ。アジア経済が、急速に成長していく中で、アジアからのゲートウェーとして、交通の要衝を占めている。それは、アジア各都市への飛行時間という、時間距離で考えてみるとわかりやすい。

福岡からソウルへは、1時間30分。これは、福岡から東京へ飛ぶのと同じ時間距離だ。ちなみに、東京からソウルへは、2時間20分かかる。同じく、福岡から上海へは、1時間45分。東京からは、3時間25分だ。ビジネスにおける時間距離は、圧倒的に福岡のほうが、東京に対して優位な立地にある。

福岡は歴史的にも、朝鮮半島や中国などのアジア地域を中心に、海外に対して門戸が開かれた街であり続けてきた。それだけ、外からの人や文化の受け入れにも、抵抗が少ない。日本は島国であるので、外国人が福岡に、直接やってくるルートは、「海」と「空」しかない。また、福岡以外の東京や大阪などの、「陸」からやってくる人の受け入れは、鉄道が中心となる。

福岡はこの「陸」「海」「空」という、人を受け入れるゲートという点でも、実に優れた機能を持つ街だ。

「陸」に関しては、山陽新幹線と九州新幹線という、本州と九州を結ぶ大動脈の結節点・博多駅が、毎日大勢のビジネス客、観光客でごった返す。とりわけ、九州新幹線の開業は、九州各地から福岡に人口を吸い上げる、「ストロー効果」の恩恵を享受している。「海」に関しては、博多港は、日本一外国船籍のクルーズ船がやってくる港になっている。2016年に博多港にやってきたクルーズ船の寄港数は、312回。入国した外国人数は、94万3000人にも及ぶ。「空」のゲートである福岡空港に降り立つ外国人は、163万1000人。この数は、中部国際空港を抑えて、第4位に位置する。

街としての準備も、手抜かりはない。福岡市は街の中心部である天神地区で、「天神ビッグバン」構想を立ち上げ、老朽化したビルの建て替えなどを、積極的に支援する姿勢を示している。具体的には、「都心部機能更新型容積率特例制度」を設けて、「九州アジア」「魅力」「安全安心」「環境」「共働」の5つの観点から、容積率を最大で、400%割り増しする制度である。

また、2016年3月には「天神ビッグバンボーナス」構想を発表した。「高質・高付加価値」のビルを標榜し、デザイン性や機能性に優れ、緑化やユニバーサルデザインなどを取り込んだ、新しいオフィスや商業施設への建て替えについては、50％の容積率割り増しを認めるものだ。この構想に沿う建物に、行政としてテナントの優先紹介や、都心周辺部での駐車場整備の誘導など、様々な特典を用意し、受け入れ態勢の整備に余念がない。

福岡は、アジアが世界の中心として発展していく中、東京とは異なる、新たな価値軸を形成していく可能性が高い街として、大いに期待されるのだ。

大宮――オフィスやホテルのニーズも意外と高い、一大ターミナル

埼玉県の県庁所在地は、さいたま市だが、さいたま市は、2001年5月に浦和・大宮・与野の3市が合併し、さらに、2005年に岩槻を取り込んでできた、人口129万人の政令指定都市だ。では、「さいたま市の中心は？」と問われれば、県民や市民の間でも、意見が分かれるところだろう。実際に県庁が所在し、文教都市としての名が高い浦和を挙げる人も多いだろうが、交通の要衝で、商業施設が集積する大宮は、まさに、さいたま市の中心と言ってよい街である。

大宮という名前の由来は、このエリアにある武蔵一宮氷川神社にある。この神社は、24

00年以上の歴史を持つとされ、第五代・孝昭天皇の御代三年四月未の日の建立、と伝えられる。氷川神社という名は、この大宮を中心に、埼玉・東京・神奈川などに約280社以上あるといわれ、関東圏の人間には、なじみの深い神社のひとつである。大宮は、すなわち、「大きなお宮」がその名の由来となったといわれる。

大宮駅東口を出て、東に旧中山道を渡り、5分ほど歩くと、氷川神社参道入口に着く。ここから北に向かって、鬱蒼としたケヤキ並木が、約2キロ続く。商都大宮のイメージでこの街を訪れると、静寂な環境に驚かされる。1985年から整備が行われ、1995年に完成した比較的新しい参道で、沿道はきれいに整備され、市民の憩いの場となっている。

大宮は、もともと中山道の大宮宿があり、古くから交通の要衝として栄えてきた。大宮駅は、東北地方と上信越地方に向かう、鉄道の分岐点に位置する。JR路線では東北、上越、北陸・長野、秋田、山形の5つの新幹線。京浜東北、宇都宮、高崎、埼京、川越の5つの在来線に加え、湘南新宿ライン、朝夕に乗り入れる武蔵野線を加えて、12路線。その他に東武野田線、さいたま新交通ニューシャトルがあり、計14路線が乗り入れる、一大ターミナル駅だ。

この駅周辺では、よくカメラを手にした鉄道マニアの姿を目にする。彼らにとっては垂涎の、鉄道博物館も駅近くにある。JR駅での乗り入れ路線数では、東京駅に次いで第2位、

大宮駅西口

ＪＲ東日本管内の駅乗車人数では、１日平均25万5０００人と、第8位の座を占める。

これだけの人が集まるということは、商業施設の集積を呼ぶ。駅舎上層部にあるルミネ大宮は、年間で４００億円以上の売上を誇り、ルミネではルミネ新宿、ルミネエストに次ぐ3位の位置にある。同じＪＲ系のエキュートも、年間売上１００億円に及ぶ。このほか、駅周辺にはそごう・髙島屋・マルイなどの大型店舗がそろい、街は賑わっている。

この街で、意外と知られていないのが、オフィスやホテルに対するニーズだ。交通の結節点である大宮は、東北や上信越地方を営業圏とする法人の、支店ニーズが非常に強いエリアである。オフィス需要は常にあり、空室率も低く、賃料も底堅い。

さらに最近では、駅周辺で、ホテル用地を物色する不動産業者が増えている。大宮とホテルの組み合わせには、ピンとこない人も多いかもしれない。だが、元来、出張族が多いのに加えて、さいたまスーパーアリーナでのコンサート客や、さいたまスタジアムでのサッカー観戦客が、新幹線や在来線に乗って、多数大宮にやってくるため、平日休日を問わず常に宿泊需要があるのだ。

新宿が、甲信越方面から遊びにやってくる人たちでにぎわうのと同様に、大宮は東北や上信越地方からの、ちょっとした遊び場になっているのだ。インバウンドの姿こそあまり見られないが、地方を含めた多くの人たちが集まってきては散っていく街、大宮は実に魅力にあふれた街なのだ。

野毛――古くからの飲み屋街に若者たちが流入した意外なワケ

東京からJR京浜東北線に乗って、横浜駅を過ぎると、次が桜木町駅だ。この駅から海側を眺めると、みなとみらい地区の高層オフィスビルと、タワーマンション街が広がる。いっぽう、山側に目をやると、国道16号線が行く手をふさぎ、「のげちかみち」と呼ばれる地下道を潜った先には、怪しげな低層の商店や雑居ビルの街並みが続く。横浜育ちの人ならば、幼いころ一度は足を運んだ野毛山動物園や、野毛山公園の展望台がある。

野毛の飲み屋街

野毛は、江戸時代末期に発展する横浜港と、東海道をつなぐバイパス道路として、切り通しが造られてできた街である。横浜港には、三菱重工の横浜造船所があったため、街は工員たちが食事をする場所として賑わった。

戦後は、港や伊勢佐木町が米軍に接収され、進駐軍の街となったが、野毛は日本人街として残り、港町の飲み屋街として栄えた。港や造船所で働く屈強な男たちが集うこの街は、猥雑な雰囲気に満ちあふれ、隣の宮川町から大岡川沿いに黄金町付近まで、娼婦の館が軒を連ねた。

この街に大きな変化が起こったのが、１９８０年の、横浜造船所の移転決定である。戦後の日本経済を支えた造船業は、１９７０年代に2度にわたって発生した、オイルショックの影響で造船不況に苦しみ、横浜造船所は、同じ横浜市内の金沢と、本牧に移転せざるを得なくなったのだった。街は一番のなじみ客を奪われることになる。

街の不況に追い打ちをかけたのが、東急東横線の路線変更だった。みなとみらい地区の街区整備が続く中、2004年、東横線は横浜駅から、新たに開通した横浜高速鉄道に乗り入れて、みなとみらいから、元町・中華街駅に直通運転を行うことになった。その結果、桜木町駅は廃止され、人の流れは、これまでの桜木町・野毛から、みなとみらい地区に向かってしまう。大事なお客さんを奪われた揚げ句、足まで失った街では、古くからの飲食店や物販店が、店主の高齢化とも相まって次々に閉店。街は廃れた印象をかもし出していく。

だが、現在夜の帳《とばり》が降りたころに野毛を歩くと、街は活気に満ちている。何より驚くのが、若い人たちが大勢、街中を闊歩していることだ。街が生まれ変わったのだ。

原因は皮肉なことだった。多くの飲食店や物販店が店を閉じたことによって、不動産価格が下がり、店舗の賃料が大幅に下落。そこにやってきた若い人たちが店舗を借りて、新たな商売を始めるようになったことが、街に息吹を与えることになったのである。

街は立ち飲み居酒屋、焼き鳥、ホルモン焼き、といった低価格飲み屋の定番から、焼き肉、ちょっと気の利いたワインバル、ジャズバーなど、多彩なラインアップで、街にやってくる人たちを楽しませる。この街には、一切の「気取り」がないのも、多くの人に愛されるポイントだ。

高層ビルやタワーマンションが立ち並ぶみなとみらいは、便利でお洒落な街かもしれないが、建物だけが自己主張をして、人間くささを感じることはできない。思えば、私自身も以前新宿西口の高層ビルに勤務していたとき、遊びに出かけるのは、東口の歌舞伎町界隈だった。新橋に居を構える現在でも、やはり飲みに行くのは、汐留口の高級ホテル内のレストランやオフィスビルの地下ではなく、烏森口前に広がる飲み屋街だ。

陽と陰、明と暗のように、街にはコントラストが必要だ。野毛の街は、相変わらず雑然としながらも、どこか落ち着きがある。予約をして、かしこまって入るのではなく、ぶらりと暖簾をくぐる。この温かさが、現代を生きる老若男女を惹きつける、新たな野毛の街の魅力を作り上げているのである。

野々市市──自力で人口5万人を達成し、市に「昇格」した稀有な街

「野々市市」と聞いて、すぐに場所をイメージできる人は、おそらく少数だろう。野々市市は、石川県金沢市の南西部に隣接する街。面積約13・56平方キロメートル、人口約5万2000人、2011年11月に、県内11番目の市として誕生した。

野々市市は、よくある、「平成の大合併」と謳われた、自治体同士の合併を重ねて作り上げられた、「はりぼて的」な市ではなく、金沢市との合併話には目もくれず、自らの人口増

により、人口5万人が条件である市に「昇格」した、稀有な例として注目される。

『週刊東洋経済』2017年10月14日号における、「新陳代謝のある街・ない街ランキング」においても、上位に東京都の千代田区、中央区が来るのは、うなずけるとしても、なんと野々市市が、ベスト20位にランクインしている。このランキングは、人口1000人あたりにおける、人口の社会増と自然増の状況を数値化したものであり、この街のランクインを知って、「野々市ってどこ？　なぜ？」という疑問を持った読者も多かったに違いない。

野々市市は、市内に石川県立大学と金沢工業大学という、2つの大学を擁する。とりわけ金沢工業大学は、県内では金沢大学、金沢美術工芸大学と並んで、その研究成果や教育水準の高さで名を馳せている。そのため、もともと20歳前後の若年層の人口は多い。大学を抱える多くのエリアでは、学生は卒業をするとエリアから外に出てしまい、そのまま地元に残るケースが少ないのだが、野々市市が特異であるのは、20代後半以降の人口を保ち続けていることだ。

野々市市は、隣接する金沢市のベッドタウンとしての機能もあわせ持っており、金沢市内には、国道8号線や157号線で、鉄道でも北陸鉄道石川線やJR北陸本線を使い、市内中心部に、いずれも30分以内でアクセスできる。こうした利便性と、金沢市内と比較して不動産価格が割安であることが、若い層を中心に、「そのまま野々市で暮らす」という、動機付けにつながっているのかもしれない。

市の年齢別人口割合を見ると、この優位性はさらに裏付けられる。野々市市のホームページによれば、年齢15歳以上64歳以下の、いわゆる生産年齢人口の割合は、２０１７年で64・7％。これは全国平均の60％を上回る。さらに注目されるのは、14歳以下の若年人口割合が、16・23％。これは、全国の12・5％に比べて、突出して高い。

三大都市圏のベッドタウンだった東京の多摩、名古屋の高蔵寺、大阪の千里といったニュータウンは現在、人口の減少と高齢化に悩む街となっている。通勤のために「泊まる」だけの街、ベッドタウンは今、その存在価値を問われているのだ。

では、野々市市も金沢のベッドタウンとしての役割のみを負う存在にすぎず、今後は同じ軌跡をたどっていくのだろうか。たしかに、市内に本社や有力な事業所を置く企業は少なく、市内で「職」を得て、市内のみで生活する環境下にあるとはいえない。

だが、野々市市をつぶさに観察すると、言い方は悪いが、この市は見事に金沢市に「寄生」していると感じる。三大都市圏での巨大なベッドタウンは、都心まで1時間以上の長距離通勤のもとで成立していた。それに比べ、野々市市は車や電車でわずかの距離の金沢市に、その一部分であるかのように寄り添い、金沢市の事業所機能や商業機能を利用して、「寄生」しているのだ。

野々市市の在り方は、コンパクト化するこれからの新しい都市像を、物語っているのかもしれない。

長久手市――知る人ぞ知る、人口増加率全国一の快挙

野々市市と同様、「長久手市」と聞いて、この街の場所を正確に語れる人は、少ないのではないだろうか。歴史好きの人ならば、1584年（天正12年）に、羽柴秀吉（のちの豊臣秀吉）と、徳川家康および織田信長の次男・織田信雄の連合軍が、半年以上にわたって対峙した古戦場として、思い浮かべるくらいではないだろうか。

だが今、この古戦場の街は、全国で一番人口増加率の高い街として、自治体関係者の間では有名な街になっている。

長久手市は、名古屋市東部の丘陵地帯に広がる、面積21・55平方キロメートル、人口約5万9800人の街である。市域は東西に長く、西は名古屋市と、東は自動車工業の街・豊田市に接している。

この古戦場の街が脚光を浴びたのが、2005年に開催された、愛知万国博覧会「愛・地球博」だ。会場と名古屋駅を結ぶ愛称「リニモ」という、磁気浮上式鉄道が開通し、名古屋駅からは、市営地下鉄東山線・藤が丘駅を経由して、街の中心である長久手古戦場駅まで約

リニモの長久手古戦場駅

40分。またリニモ・八草駅を経由して、愛知環状鉄道線で新豊田駅まで35分ほど。道路も、東名高速道路の名古屋インターに接し、日進ジャンクションから分岐する名古屋瀬戸道路を経れば、街の中心部につながる。長久手は、名古屋と豊田、どちらへもアクセスの良好な、ベッドタウンとして発展する立地を確保できたのである。

長久手市は、2012年1月には「市」に昇格。万博開催時の2005年に4万6493人だった人口は、わずか10年後の2015年には、5万7598人、24％もの大幅増を記録する。

人口増の担い手は、名古屋や豊田に通勤する働き世代。市の総人口に占める生産年齢人口（15歳から64歳までの人口）の割合は、66・8％と、全国平均を大幅に上回る。また若年人口（14歳以下人口）の割合が17・7％と、老年人口（65歳以上の人口）の割合15・5％を上回るという、国内でも非常に稀有な「若い街」となっている。実際に市内の小学校では、生徒数が1000人を超える小学校が出現して、話題になっている。

人が集まる街は、不動産価格も高くなる。2018年の公示価格は、市内平均で、坪当たり48万6831円。対前年比で、4・5％もの上昇を記録している。新築戸建て住宅で、条件の良いところであれば、4000万円後半から5000万円台になる。

人口が流入を続ける街には、商業施設も陸続する。2016年12月には、長久手古戦場駅前にイオンモールが、翌年には、家具販売店イケアがオープンした。

学校も多彩だ。愛知県立大学、愛知県立芸術大学などの公立大学や、愛知医科大学が本拠を構え、愛知淑徳大学がキャンパスを置くなど、多くの学生が街を闊歩し、活気にあふれている。

国立社会保障・人口問題研究所の推定によれば、2040年には、この街の人口は7万人を超えると予測される。ますます人口が増加する長久手には、一見死角がない。しかし、全国の多くのニュータウンで生じている、住民の高齢化や代替わりができない、といった問題から、この街が全く無縁でいられるかはわからない。

街には、豊田市における自動車といった基幹産業は見当たらず、人々が働けるようなオフイスはほとんど存在しない。区画整理事業を繰り返すことで成長してきた街も、開発の槌音が途絶え、住宅だけの街となると、やがて高齢化が進み、ここに暮らした子供たちが戻ってこなくなれば、街はしぼんでいく。

成長を続ける巨大ベッドタウン長久手が、例外の街になれるか、行く末に注目したい。

第六章　「街おこし」に挑む街

燕三条――ニュータイプの職人たちがつくる世界ブランドで注目

新潟県のほぼ中央部に、２つの工業都市がある。燕市と三条市だ。２つの市の名前を合わせて、「燕三条」と呼ばれるが、行政上は異なる街だ。上越新幹線の燕三条駅は、ちょうど両市の境界線上に位置している。新潟県といえば、米を中心とした農業県のイメージが強いが、両市は江戸時代には、和釘や煙管などの金属加工の街として知られ、このエリアを流れる信濃川の水運を生かした、物流の街としても栄えてきた。

明治時代になると、三条市では、和釘で培った金属加工の技術を進化させ、包丁やハサミ、爪切り、大工道具などの製造を、燕市では、鎚起《ついき》銅器と呼ばれる、銅板を加工して作る急須や花器、洋食器、鍋、ケトルなどの製造が盛んになった。

これらの製造は、そのほとんどが、家族経営や中小工場などで担われ、独特の職人の街が形成されたのだ。両市を合わせれば、面積で５４２平方キロメートル、人口約18万人を数える。「家族経営」「中小工場」と聞くと、職人気質が高じて保守的になり、新しいものを取り入れずに、衰退していく街のイメージを抱きがちであるが、この街は、全く正反対の「世界ブランド」の工場を、数多く擁する魅力にあふれた街になっている。

たとえば、包丁製造の藤寅工業は、「藤次郎」の銘柄で、世界50カ国に輸出され、料理人であれば、誰もが知るブランド包丁である。また諏訪田製作所の爪切りは、世界のネイリストや、医療関係者の間でも、高い評価を受ける高級爪切りとして知られている。これらの工場の多くは、すでに代替わりして、3代目や4代目の時代を迎えているが、跡を継いだ若きオーナーたちは、この伝統技術を海外にアピールし、世界ブランドへと昇華させている。

職人というと、工場にこもって、自分たちの得意の製品を作るだけで、街との交流や、まして や観光客などの「よそ者」とは、一切交流しないような印象を抱きがちだが、こうした見方も、全く異なる。

数年前、知人の紹介で、初めてこの街を訪れたきっかけが「燕三条工場《こうば》の祭典」というイベントだった。このイベントは燕三条にある工場が総出で、一般のお客様に工場を開放して、見学してもらおうという、全国的にも珍しいイベントだ。

そのときに訪ねた諏訪田製作所の工場正面には、爪切りを製造する際に出る廃材を利用したライオンや騎士の像、盆栽の松などが飾られ、さながら博物館のような、たたずまいであることに驚かされた。このオープンファクトリーの考えは、広く街に根付いており、毎年季節は不定期ながら開催されている。

この祭典では、「KOUBA」と称して、金属加工製品などを見る「工場」、地元の農作物を味わう「耕場」、そしてこれらの製品を買うことができる「購場」という、3つのコンセプトを掲げ、100以上の企業や団体が参加する予定だ。これらの「KOUBA」を見学するだけでなく、製造体験もできるのは、新しい観光スタイルとして支持を集め、年々参加者は増加傾向にある。また、燕三条駅からの半日ツアーなど、多彩な企画も用意されている。古い歴史を持つこの工場の街には、なぜか新しい風が流れている。そこには、従来の職人イメージを払拭し、外に向けて情報発信を続け、その中に新たな勝機をつかんでいこうとする、先見性を見ることができる。そのために必要な街の内と外との連携は、〝ゆるキャラ〟ばかりに活路を見いだそうとする地方創生に、ひとつの大きなヒントを投げかけているのではないだろうか。

小布施町――徹底的なおもてなしで、観光を極める小さな街

小布施《おぶせ》町は、長野県の北東部上高井郡にある、面積19平方キロメートル、人口1万人あまりの小さな街だ。街の西側には千曲川が流れ、川に沿うように、上信越自動車道や北陸新幹線が走る。

しかし、この小さな街は、「小布施」と聞いて、誰しもが知るほどに、有名な観光の街になっている。そしてその名声は、街の人々の、たぐい稀なる「よそ者」を受け入れる気質と、柔軟な発想、街を良くしていくためには常に変化と向き合っていこう、という姿勢の産物といえる。

小布施の街並み

観光の街・小布施のきっかけは、幕末の豪商・高井鴻山《こうざん》が、当時の一流の文人であった葛飾北斎や佐久間象山、小林一茶らを招き、もてなしたことに始まる。

1976年には、晩年の4年間を小布施で過ごした葛飾北斎を祀って、北斎館をオープンさせ、街の観光の目玉とした。その後も街は、美術館や博物館を整備し続け、今では、日本のあかり博物館や現代中国美術館など、12ヵ所にも及び、年間50万人から60万人の来観客を数えるに至っている。

このほかにも街は、1987年には「町並み修景事業」を立ち上げ、街内にばらばらにあった、小布施堂本店や桜井甘精堂などの有力菓子店を街中に集約し、住宅地を移設、観光客が散策しやすいようにした。今でいう「コンパクトシティ」の発想を、当時から目指していたのだ。

さらにこの街を全国のスターダムに押し上げたのが、１９９４年にふらっと街にやってきた、セーラ・マリ・カミングスという米国人女性だった。彼女は、１９９１年に関西外国語大学に交換留学生として来日、旅をしていた彼女を虜《とりこ》にしたのが、小布施の街だった。そして彼女の発想と行動力を高く評価したのが、小布施堂と枡一市村酒造場の社長を務めていた市村次夫である。

　セーラさんは、街にやってくると同時に小布施堂に入社。地元の人間ではありえないようなアイデアを連発する。特に、１９９８年の長野五輪終了後、通訳ボランティアを集めて、北斎館で第３回国際北斎会議を誘致することに成功する。当時１万２０００人しかいない、小さな小布施の街で、国際会議を開催しようなどという突拍子もないアイデアは、街の人のみならず、日本中を驚かせることになった。さらに同年10月には、すたれた酒造であった枡一酒造の酒蔵を居酒屋に改造して、「寄り付き料理」という、酒造りの蔵人が食べる料理と、酒造の銘柄酒「□一：スクウェア・ワン」を売り出して、大成功を収める。

　現在でも、多くの地方の街は、夜に楽しめるところがない。外国人のセーラさんはそのことに早くから気づき、居酒屋で、夜に観光客をもてなすという仕掛けを行ったのだ。彼女は、文化人を呼んで講話をしてもらい、街の人や観光客と酒食で語り合う「オブセッション」や、小布施を見に来てもらいたい、にひっかけた「小布施見にマラソン」などの企画を次々に提案、今の「地方創生」の先駆けとなった。
小布施の街を訪れて、とても楽しいのが街歩きだ。この街には、いたるところに路地裏歩きが楽しめる、周遊コースが施されている。観光客などが通るにはためらわれるような路地の入り口に、「ウェルカム」の看板がある。その小径を歩くと、民家の軒先やお庭の中に自然と吸い込まれていく。そして、各家が、街にやってくる「よそ者」たちを温かく迎えてくれるのだ。とかく、地元の人たちは観光と聞くと、「儲かるのは、旅館やホテルやお店だけで、俺たちは関係ない」とそっぽを向くのが常だが、この街にはそれがない。セーラさんは街を去ったが、その魂を引き継ぐ次世代が地元、よそ者関係なく新しい小布施を築くことだろう。

松本市——「三ガク都」の魅力を海外にもアピールし、成功

長野県は本州内陸部に位置し、周囲8県に接する、東西128キロメートル、南北220キロメートルに及ぶ、広大な県である。江戸時代には、信濃国と呼ばれ、現代では「信州」とも称されている。一口に「信濃国」といっても、これだけ広大な国なので、北信・中信・東信・南信という4つのエリアに分かれ、エリア同士の環境や文化にも、大きな違いがあるという。

私の知人の長野県出身者によると、この4つのエリアの人たちは、必ずしも仲が良いわけではないそうだが、「信濃国」という名のもとには、強い結束を示すそうで、どんなに議論が伯仲、対立しても、最後は肩を組んで県歌「信濃の国」を歌えば、仲直りするのだそうだ。各エリアを代表する街としては、北信が長野市、東信が上田市、南信が諏訪市、が挙げられるが、残る中信を代表する街が、松本市である。

松本市は、面積約978・47平方キロメートル、人口約24万2000人を擁する、県内第2の街である。県庁所在地こそ北信の長野市に譲るものの、日本銀行松本支店、信州まつもと空港、信州大学本部、陸上自衛隊松本駐屯地を抱える、地政学的にも重要な街である。

いっぽう松本は、「三ガク都」とも呼ばれ、「楽都」＝音楽の街、「岳都」＝山岳の街、「学都」＝学問の街としても売り出している。

「楽都」としては、毎年8月、9月に行われる松本音楽祭は全国から多くの観客が集まる一大イベントとなっている。小澤征爾さんが指揮をとることから、セイジ・オザワ松本フェスティバルとも呼ばれる。この音楽祭は1992年、サイトウ・キネン・フェスティバル松本としてスタートした。もともとは、桐朋学園大学で教壇に立っていた、齋藤秀雄氏に師事した音楽家や演奏家が集まって、開かれてきたものだ。しかし「サイトウ・キネン」では外国人にわかりづらいということで、2015年に、弟子のひとりであった小澤征爾さんの名前

北アルプスを望む松本の街

を冠するようになり、大勢の観客を呼び込むことに成功した。

「岳都」としては、街の北西に北アルプス、南西に御嶽山、南東に蓼科《たてしな》山を望む街として、昔から登山を楽しむ多くの人々で賑わってきた。現在では、中高年の登山ブームで、多くの登山客が松本を訪れるばかりではなく、この雄大な光景に魅せられた外国人観光客も急増している。

松本市における外国人延宿泊者数をみると、2017年は、年間14万7755人泊（「人泊」＝「宿泊人数」×「宿泊数」）にもおよび、この数は、同じ県内の軽井沢町を凌駕して、県内1位である。ちなみに10年前の2007年は、その数はわずか3万7731人（県内3位）であったので、この間に3・7倍にもなったということだ。また、国別内訳を調べると、欧米人の割合が18・1％（2

017年）にも達しており、軽井沢町の1・9％に比べても、欧米人人気が突出していることがわかる。

「学都」としては、日本最古の小学校である旧開智学校の存在だけでなく、毎年、「学都松本フォーラム」を開催。若者だけでなく、子供や高齢者など幅広い人たちが集まり、いろいろなテーマでのディスカッション、ワークショップ、現地学校などを開催している。

「三ガク都」にもうひとつつけ加えるならば、松本は健康寿命日本一の街である。2020年3月まで、三期にわたって市長の職にあった菅谷昭氏は、信州大学医学部を卒業した医師。チェルノブイリ原発事故発生後に現地に入り、甲状腺がん治療などで活躍された方だが、医師としての経験・知見を活かした施策の数々が、街を健康の都としても有名にした。

松本は街の中心部にそびえる観光の目玉、国宝松本城のみに頼らず、多くのソフトウエアを駆使して、新しい街の像を生み出すことに成功している。ともすると、旧跡や過去の栄光の歴史ばかりを、ノスタルジックに追いかける街が多い中で、街としての価値を、現代に照らして徹底的に磨き上げる姿に、地方創生の在り方が見える。

北広島市――札幌市との闘いを制し、プロ野球球場を誘致

北広島市というと、広島県にある街と誤解する人が多いが、この街は、北海道の札幌と新

千歳空港の間に位置する、人口約5万8000人、北海道の中核都市のひとつだ。新千歳空港から、JR千歳線に乗って札幌に向かう電車で、途中「北広島」という駅があり、周辺に大きな団地群があるが、この周辺が北広島である。

北広島という、勘違いしそうな名前には訳がある。このエリアは、1884年（明治17年）に広島県から103人が入植して、開墾された地である。1894年に、月寒《つきさっぷ》村から分離独立する際に、故郷の名にちなんで「広島村」と名付けられたのだ。1996年に市に昇格する際に、広島市と混同することから「北広島」となり、今に至っている。

北広島を大きく飛躍させたのが、1970年から始まった、道営北広島団地の造成である。この年を境に街の人口は急増し、1970年の1万人から、2007年には6万1200人になる。

産業は、ホウレンソウや、ジャガイモなどの農業や酪農で、市内には6ヵ所の工業団地があるが、この街は、札幌都市圏にあるために、札幌に通う勤労者のベッドタウンとしての色彩が強い。

急成長をみせてきた北広島だが、大都市圏のベッドタウンの多くが直面しているように、近年は、人口の減少と高齢化に悩まされ始めている。人口は、2007年をピークに減少に転じ、2017年においての高齢化率は29・6％に達している。国立社会保障・人口問題研究所の予測によれば、2040年には、街の人口は4万6000人になるという。

こうした状況下、街には変化のきざしが表れている。ひとつは、インバウンドの取り込みである。新千歳空港に、大量に降り立つ訪日外国人観光客は、その多くがJR千歳線やバスを使って、札幌との間を行き来するが、ただ通過するのを、指をくわえて見ているのはもったいない。2010年4月、「三井アウトレットパーク札幌北広島」がオープン。この商業施設は、札幌市民を対象にしたことはもちろんだが、アジアなどからやってくる外国人観光客にも、照準をあわせたのだ。今では、大勢の外国人観光客が、この街にやってくるようになっている。

さらに、この街の名が全国にとどろいたのが、プロ野球の日本ハムファイターズが、本拠地を北広島に移転することを発表したことだ。日本ハムファイターズは、これまで札幌市が運営する札幌ドームを本拠地にしてきたが、球場内の広告や売店収入を得られないことなどを理由に、独自の球場を建設運営することを発表、札幌市内の真駒内《まこまない》公園と、北広島市の「きたひろしま総合運動公園」とが、熾烈な誘致合戦を繰り広げてきた。

北広島の作戦は、公園全体をボールパークとして整備。商業施設やホテル、温浴施設、レストラン、住宅などを併設した、新しい「街づくり」を掲げたことである。球場を核とした街づくりは、全国にも例を見ない取り組みとして注目される。

ただ、問題は山積している。球場までのアクセスは、札幌から北広島まではJR快速電車で約15分だが、駅から球場までは徒歩で20分。街では、道路整備を行うことにより、車で来場する米国スタイルの球場を目指すいっぽうで、JR北海道と新駅設置の協議を進めている。しかし、財政難のJR北海道にとって、列車の増発を含めて難題である。人口195万人の札幌市との闘いを制した北広島は、新たな街の発展の基軸を作り上げようとしている。球場オープンは、2023年3月予定。どんな姿でお目見えするか楽しみである。

川越市——ベッドタウンとしては微妙でも、「小江戸」を活かす街おこし

川越市は、埼玉県南西部に位置し、さいたま市、川口市に次いで、県内第3位の人口35万人を擁する中核市である。市のほぼ中心部に、JR川越線・東武東上線・西武新宿線が集まる交通の要衝でもある。

川越市は、江戸時代には新河岸川の水運が盛んで、親藩・譜代にあたる、川越藩の城下町として栄えてきた。江戸の北部を守る、戦略的にも重要な藩であり、武蔵国の大藩として、代々、酒井家・堀田家・松平家・柳沢家などの重臣が治めてきた。そのせいか、川越は別名「小江戸」ともいわれる。

昭和から平成にかけての川越は、池袋や新宿に通勤するサラリーマンにとって、ベッドタ

ウン的な存在として発展してきた。

だが、この街を通勤するためのベッドタウンとして見ると、なんとも中途半端な立地にある。鉄道路線が集積する川越市中心部では、JRの川越駅、東武東上線の川越市駅、西武新宿線の本川越駅、この3つの駅が微妙に離れて、つながっていないのだ。ご丁寧にも、駅名も全部微妙に違い、混乱の原因となっている。つまり、よくいえば3駅利用可能なのだが、現実的な通勤には、いかにも、「中途半端で、使えない駅が集積されただけの街」という見方もできるのだ。

ところが、川越は古くから、蔵造りの家が立ち並ぶ、歴史と風情のある街。この街は最近、観光という観点から見直されはじめ、多くの観光客を招き入れることに成功している。古ぼけた街並みに見えた通りが、「菓子屋横丁」として脚光を浴び、「大正浪漫夢通り」として、地酒を売る店や喫茶店は時間に余裕ができたリタイアメント層や学生、外国人観光客など、大勢の観光客で賑わっている。

2006年には、年間で550万人程度であった観光客数は、2016年には、704万人を数えるようになった。

人が集まるようになれば、もともと神社仏閣が多いこと、新河岸川沿道の桜並木、川越の蔵造りで最古といわれ、国の重要文化財に指定される大沢家、ノスタルジーを感じさせる

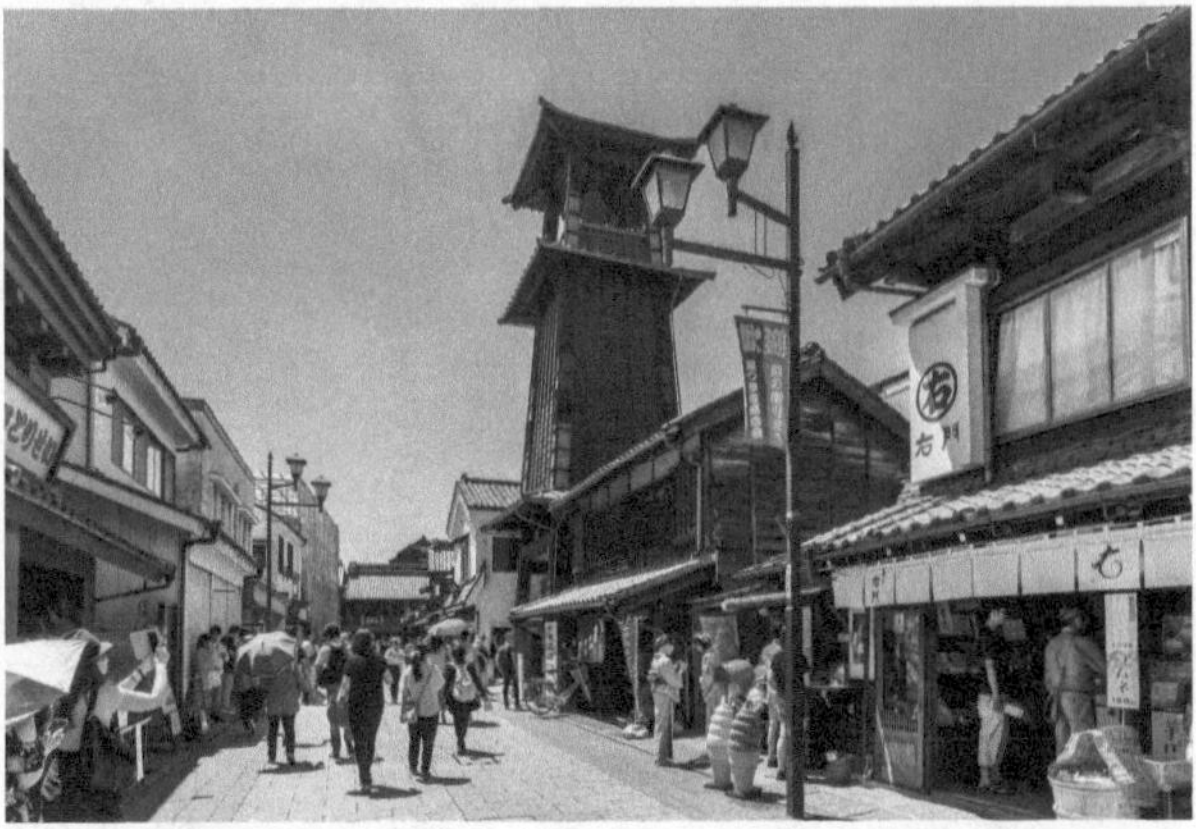

「小江戸」川越の街並み

「時の鐘」などが、ネットでも勝手に取り上げられるようになった。ぶらぶら歩きには、実は微妙に離れている3つの駅も、まことに都合が良いのだ。

街の名産の、サツマイモを使ったソフトクリームやまんじゅうは好評。また、全国的には知られていないが、川越といえば「うなぎ」と呼ばれるほど、うなぎの店が多く、観光客の舌を満足させている。氷川神社は、恋結びの神様として女性にも人気がある。

東京のベッドタウンに甘んじることなく、街の持つ歴史や、文化を前面に打ち出した「人を集める仕掛け」を、先祖が築き上げた街の遺産を、上手に受け継いで、演出しているのが川越だ。

今後の課題は、人が集まる北部の蔵造りの街と、南部の商業エリアに挟まり、発展から取り残されている、中央通り近辺のエリアだ。シャッターを下ろしたままの商店も目立つ。このエリアは、街が、東京のベッドタウンとして発展した昭和の時代に形成された、比較的新しいエリアだ。観光客は、見どころのない昭和の街には足を向けないのだ。今後、エリア全体の均衡ある発展を見据えた施策が待たれる。

大津市――「まちもどし」で宿場町の繁栄を取り戻す

大津市は、滋賀県の南西端にある、人口約34万人の県庁所在地である。市は、琵琶湖の西岸に沿う形で南北に長く、西側で比叡山を挟んで京都と向き合う。

市の中心部と京都市の中心部は、わずか10キロしか離れていない。「東海道53次」といわれた宿場町の中で、大津は一番最後、53番目の宿場町として栄えてきた。

大津からJR新快速に乗れば、京都まではわずか9分、大阪までは40分だ。交通利便性の良さは、この街を、京都や大阪に通うサラリーマンのベッドタウンとして位置付けた。江戸時代は宿場町であったものが、今やサラリーマンの住家に衣替えしたのだ。

JR沿線の大津、膳所《ぜぜ》、石山、瀬田などの各駅の駅前には、マンションが立ち並び、最近は、タワーマンションの姿も目立つようになった。新築分譲マンションの価格帯は、坪当たり160万円台。大阪や京都のマンションに比べ、価格が安いことも魅力となっている。

琵琶湖と大津市空撮

だが、もともと、この街の魅力は、琵琶湖を望む観光地としてのものだ。湖岸には、以前より多くのリゾートホテルが立ち並び、関西方面の富裕層などが、週末のリゾート地としてこの街を訪れ、湖上にヨットやボートなどを浮かべ、遊ぶのが定番だった。またJR湖西線で北上した雄琴《おごと》は温泉町として栄え、多くの観光客で賑わってきた。

市内には、多くの寺社仏閣があり、歴史散歩に最適だ。比叡山延暦寺、石山寺、園城寺、建部神社、近江神宮、瀬田の唐橋、堅田など、国内でも名だたる名所旧跡が、この街には集まる。また意外と知られていないのが、びわ湖バレイと呼ばれる山岳リゾートだ。琵琶湖を南北に一望でき、冬にはスキーを楽しむことができる。

これまで、この街の観光客は、ほとんどが関西方面の客で占められてきたが、平成以後、観光スタイルが多様化したうえ、京都、大阪へのアクセスの良さが、観光地としての大津の存在意義を薄れさせ、湖岸にあった多くのホテルや旅館は、経営に苦しむようになった。

変化が訪れたのは、最近だ。国内外の観光客が、京都に殺到するようになるにつれ、京都市内では、ホテルの数が圧倒的に不足するようになった。そこで、京都までわずかの立地にあるこの街が、見直されるようになったのだ。2018年1月には、市内でも有数のリゾートホテルであった、ロイヤルオークリゾートが、シンガポールのファンドに買収された（2020年4月自己破産）。また11月には、瀬田アーバンホテルがアパホテルに買収され、アパブランドとして蘇っている。

外資系や大型資本の買収だけではない。2018年4月には、大津市が民間と組んで「大津宿場町構想」を立ち上げた。これは、従来の地方創生でよく叫ばれた「まちづくり」の概念とは一線を画し、「まちもどし」という発想にたって、宿場町としての大津を再生しようというものだ。

代表的なプロジェクトが、大津百町景観再生事業の一環として、商店街に残る町家7棟をリニューアルしてまとめ、ホテルとして提供する「商店街HOTEL　講　大津百町」だ。

このホテルは、街中で「食べる」「飲む」「買い物する」をテーマにしている。毎日実施される商店街ツアーは、利き酒や川魚、漬物などを味わってもらおうという斬新な取り組みで、話題となっている。またステイファンディングという、1泊150円分を、商店街連盟へ寄付する取り組みで、街のさらなる魅力度アップに貢献している。こうした地元発の新たな試みが、大津の新しい魅力を引き出せるか、真価が問われている。

第七章　盛衰の分岐点に立つ街

横須賀市——脱ベッドタウンが、街の持続のキーワード

神奈川県の三浦半島。この半島の東側の付け根から、半島中央部にかけての領域が、横須賀市だ。面積は約100平方キロメートル、人口約40万人。神奈川県では横浜、川崎、相模原、藤沢に次いで、5番目に人口の多い中核市である。

市の東側は東京湾に面する。軍港として栄えてきた横須賀港があり、米軍施設が軒を連ね、独特の雰囲気がある。市の中心部は、京浜急行線の横須賀中央駅付近。ここに、区役所などの行政施設や商業施設もそろう。JR横須賀駅周辺は、住宅があるものの繁華街はなく、横須賀駅が市の中心だと思って駅に降り立つと、戸惑うことになる。

横須賀中央駅のある若松町や大滝町から南東に下ると、リゾート感覚あふれる馬堀海岸の住宅地が広がる。そして、馬堀海岸を過ぎれば観音崎だ。ここには観音崎灯台があり、狭い東京湾を航行する船の目印となっている。湾の入り口にあたり、海流が強いことから、この海域で取れるアジやサバは、ブランドものとして珍重される。

観音崎から南下すれば、浦賀や久里浜という、幕末から明治にかけて、たびたび歴史に登場する地名が続く。当時からこの街は、国防の拠点だったのである。

久里浜の先になると、金田湾を東に見ながら三浦海岸まで、ビーチリゾートが続く。

横須賀といえば、東京湾寄りばかりを意識しやすいが、葉山町と三浦市の間で、相模湾に

横須賀市空撮

面するエリアも横須賀市に属している。相模湾沿いは荒崎や佐島などの磯が続くが、小田和湾付近には、自衛隊の駐屯地がある。

軍の施設ばかりが目に付く横須賀だが、この街には、いろいろな顔がある。野比の近辺に建設された横須賀リサーチパーク（YRP）や、湘南国際村には、科学技術で先端の研究施設がそろう。また、日露戦争で戦った戦艦三笠が飾られた三笠公園や、バラで有名なヴェルニー公園。無人島であるにもかかわらず、独特の風情で人気を博する猿島。ミリタリーショップや米兵が集うバーなどが並ぶ、どぶ板通りなど、観光スポットにも事欠かない、魅力がいっぱい詰まった街だ。

だが現在、この街は大きな問題を抱えている。人口減少と高齢化である。1993年には43万5000人だった人口が、現在では40万人に減少。

人口に関しては、すでに1980年代から、社会減（転出数が転入数を上回る）が始まり、現在では、自然減（死亡数が出生数を上回る）が激しく、昨年1年間では、2244人もの自然減を記録している。

市内の空き家率も、2013年で14・7％。全国平均13・5％とさほど変わらないが、高齢化率は、すでに総人口の30・5％。今後多死・大量相続時代を迎えると、空き家の増加は避けられなくなりそうだ。

横須賀の弱点は、住宅地が海岸の埋立地を除いて、ほとんどが丘陵地で、急坂が多いこと。首都圏への通勤は、京浜急行線で1時間以上を要する、限界立地であること。この条件で相続が起こっても、すでに市外に転出した若い世代が、親の家に戻ることはなさそうだ。とりわけ、交通網が南北にしかなく、JRは逗子、鎌倉方面に蛇行するため、都心までの通勤時間は、京浜急行よりも時間がかかる。半島で山がちなために、バスなどの交通機関が渋滞によって、あまり機能しないことも街の発展を妨げている。

これからの横須賀は、いかにして東京や横浜のベッドタウンの位置付けを脱し、自らの持続可能性を高めていくか、今こそ街の機能の再構築が求められている。

柏市──東京だけでなく、各方面から人を呼ぶ機能の構築が急務

千葉県柏市は、県の北西部・東葛地域に属し、人口約43万人を擁する、首都圏でも屈指の中核都市だ。市の北部には利根川が流れ、東部では手賀沼に接する。

この街は、東京に通勤するベッドタウンとして発展してきた。東京から常磐方面につながるJR常磐線が、市の中心部を貫き、柏駅から東京駅は約33キロメートル、上野東京ラインを使えば、40分弱でアクセスできる。この通勤条件は、さいたま市の大宮駅とほぼ同じということになる。

第5章でご紹介したように、大宮駅はあらゆる商業機能が集積し、最近ではアリーナやサッカーなどの文化、スポーツ関連需要を取り込んで、大いに発展している。いっぽうで、首都圏における、ほぼ同じポジションにある柏駅は、大宮駅と比べて、最近あまり話題にのぼらない。

大宮駅は、東口に髙島屋、西口にそごうがある。いっぽうの柏駅は、かつて東口にそごう、西口に髙島屋があったが、2016年9月に、そごうが閉店になっている。大宮駅の駅舎上には、全国屈指の売上を誇るルミネ大宮や、エキュートがあるが、柏駅には、JR関連の大型商業施設は存在しない。閉店した柏駅東口のそごうは、1973年のオープン、最盛期の1991年には、売上高590億円を記録したが、閉店した2016年は、わずか115億円にまで落ち込んでいる。

原因は、東京のベッドタウンとしての機能低下と、新しい需要を呼び込む仕掛けの不在だ。常磐線沿線では、早くから、東京に通勤するサラリーマンのベッドタウンが、続々誕生した。松戸から柏を経て、茨城県取手市付近まで、増加を続ける首都圏人口の受け皿としての機能を果たしてきたといえる。

ところが、柏駅の1日平均乗車人員をみると、２０１０年には15万人程度であったのが、２０１７年では12万人に減少している。同じベッドタウンである松戸駅が、同じ期間ほぼ10万人で推移しているのとは対照的である。

柏駅の衰退は、実は、つくばエクスプレスの開通と深く関係している。２００５年に開通したつくばエクスプレスだが、沿線は順調に宅地開発がすすんでいる。とりわけ、米軍の通信施設だった柏通信所と、三井不動産が所有・運営していた柏ゴルフ倶楽部の跡地を取り込んだ、柏の葉キャンパス駅周辺は、ららぽーと柏の葉を核に商業店舗が集積、これを取り囲むように、三井不動産や都市再生機構（ＵＲ）による、大型のマンション開発が行われた。ららぽーとなどの大型商業施設を中心に、周辺に高層マンションを建設するのは、最近の三井不動産が得意とする開発手法だ。これに加えて、街には東京大学や千葉大学のキャンパス、県立柏の葉公園、小学校や高等学校、ホテルなどが設置され、街は活気にあふれている。

いっぽうＪＲ柏駅周辺では、撤退したそごうの跡地計画が、なかなか進んでいない。第一駐車場の跡地には、地上21階建てのタワーマンションが、２０２１年10月に竣工することが発表された。だが、本館跡地については、この土地を取得した三井不動産によって、どのような開発がなされるか、いまだ全容は明らかになっていない。柏駅は、大宮駅とは異なり、新幹線がなく、常磐線の特急電車もほとんど停車しない。大宮が広く上越、長野、北陸方面から人を集めているのに対して、相変わらず柏は、東京にしか顔を向けていない。柏の葉に押されるだけではない、新しい人を集める機能の構築が急がれる。

下関市――観光面で、「通過される街」をいかに脱するかがカギ

山口県下関市は、本州の最西端にある人口約26万人、中国地方では広島、岡山、倉敷、福山に次ぐ、第5位の人口を擁する中核都市だ。「下関市」と称するようになったのは、１９０２年からであり、それまでは、赤間関《あかまがせき》市という名だった。赤間関の「間」を「馬」とも書いたことから、「馬関《ばかん》」とも呼ばれた。１８９５年4月に、日清戦争終結の際に結ばれた日清講和条約は、我々が教科書で習う「下関条約」ではなく、「馬関条約」だったのだ。

下関は古来、交通の要衝として栄えてきた。山陽道と山陰道の結節点に位置し、関門海峡を挟んで、トンネルや道路で北九州市とつながる。江戸時代には北前船の寄港地であり、瀬戸内海と玄界灘をつなぐ港としても栄えた。下関港からは韓国の釜山港が近く、夜に関釜フ

エリーに乗れば、翌朝には釜山に到着できる。下関駅の北側にコリアンタウンが形成されているのは、韓国との距離の近さを物語っている。

また、下関は捕鯨の街としても知られ、古くは多くの捕鯨船で賑わっていた。現在では捕鯨業は衰退したが、今でも調査捕鯨の基地となっている。

下関といえば、「フグ」を思い浮かべる人が多いが、焼き肉、鯨料理、玄界灘や瀬戸内海で取れるレンコダイやブリ、太刀魚、ハモなど、「食の宝庫」ともいえる街であることは、意外に知られていない。また市内には、川棚温泉や一の俣温泉などの温泉が豊富にあることもほとんど知られていない。

こうした魅力的な観光要素が存分にある下関だが、観光地としての知名度はいま一歩である。2017年度の観光客数は、実人数ベースで705万人だが、その多くが日帰り客であり、宿泊者数は81万人にすぎない。また、宿泊者のうち、外国人はわずか1万9000人で、宿泊者数全体の2・3%しかいない。お隣の北九州市が、1242万人の観光客、186万人の宿泊者がいて、そのうち、外国人が約36%を占める68万人にのぼっているのとは、対照的だ。唐戸市場は、下関に集まる海産物の市場として、大勢の観光客でにぎわうが、客のほとんどは、買い物を済ませると、博多や広島に向かってしまうのが実態だ。交通の要衝であるはずの街が、こと観光の側面では、「通過される街」になってしまっているのだ。

下関市の唐戸市場

下関港という、歴史的にも由緒ある港を抱えているにもかかわらず、今日本に多数やってくる外国のクルーズ船は、博多港に寄港する。下関港は、もともと捕鯨船の基地ではあったが水深が浅く、潮流が速いことから、10万トンを超えるような大型船の寄港に、対応ができなかった。

こうした事態に対し、市では玄界灘に面する垢田地区の沖合に、「長州出島」という面積１４７ヘクタールに及ぶ人工島を造り、国際貨物コンテナと、大型のクルーズ船対応を可能とする港湾整備を行っている。

しかし、現地に足を運ぶと気が付くのは、交通利便性を重視するあまり、貨物コンテナはともかく、船から降り立った外国人観光客が、ターミナルから大型バスに乗りこみ、高速道路で博多に向かってしまう光景だ。これでは、下関市内に外国人観光客が立ち寄る機会は、少なくなってしまう。

街には、外国人や国内外の富裕層が喜ぶような宿泊施設も、少ないように感じる。多くの観光要素をつなぎ合わせてルート化し、彼らが滞在できるようなリゾート感覚あふれるホテルを用意すれば、この街に滞在する客は、もっと増えるのではないか。新たな発想が求められている。

松江市――市域を超え、近隣の有名観光地との連携に期待

松江市は島根県の北東端、鳥取県との境目にある、人口約20万6000人の県庁所在地である。松江市は、市域の東側の中海と西側の宍道湖、この2つの汽水湖をつなぐ大橋川によって南北に分断された、全国でも珍しい街である。大橋川の北を「橋北《きょうほく》」、南を「橋南《きょうなん》」と呼び、街の中心部は、南北を西から順に宍道湖大橋、松江大橋、松江新大橋、くにびき大橋の4つの大橋で結ばれている。松江が「水の都」とも称されるゆえんである。

街は、大橋川だけでなく、剣崎川、朝酌川、京橋川などで構成され、京橋川は橋北に位置する松江城につながる。松江城は、1600年の関ヶ原の合戦で、功労のあった堀尾吉晴が松江藩主となり、1611年、吉晴の子・忠氏の代になって竣工した城で、天守閣は国宝に指定されている。城のお濠《ほり》を船で巡る「堀川めぐり」は、松江観光の代名詞ともなっているが、ぜひこの街を訪れた際は、お濠の淵に沿って散歩されることをおすすめする。お濠に沿って情緒のある街並みが続き、明治期のギリシャ人の日本研究家・小泉八雲の記念館や、武家屋敷のたたずまいを楽しむことができる。また、小腹がすいたなら、沿道の店で出雲そばを食するのもよい。

汽水湖である宍道湖のシジミは、全国的にも有名であるが、日本海に面しているために、海の幸は極めて豊富である。スズキやタイ、ブリなどが豊富に水揚げされ、特に鯛めしは名物となっている。

松江は、山陰地方の経済の中心地でもあるが、山陽地方の各都市と比べると、経済規模は決して大きなものではなく、目ぼしい産業も見当たらない。歴史的にも、あまり大きな事件や騒動に遭遇してこなかったためか、街の住人たちにも、どこかのんびりした気質を感じる。だが、街は高齢化の波にものみ込まれていて、大橋川と京橋川に挟まれた、東本町や南岸の伊勢宮町などの繁華街も、シャッターを閉めた店の姿が目につき、往時のにぎわいを徐々に失いつつある。

観光に関しても、縁結びや遷宮などで盛り上がる出雲とは異なり、やや地味な印象を受ける。松江城だけでは日帰り観光となってしまうし、玉造温泉やしんじ湖温泉は、せいぜい1、2泊程度の滞在客しか獲得できていない。街全体が東西に細長く、嫁ヶ島からの夕日は有名なものの、景観も単調で、中海や宍道湖の水辺を、いま一歩活用できていない点も気になる。

やや地味めな松江観光であるが、10年に1度開催されるホーランエンヤは注目すべき祭りだ。この祭りは、市内の城山稲荷神社の式年神幸祭で、日本三大船神事のひとつに数えられる。祭りは、神社の御神体を、櫂伝馬船《かいでんません》と呼ばれる船団で、大橋川に沿って東へ、阿太加夜神社に運ぶ「渡御祭」と、櫂伝馬を奉納する「中日祭」、そして御神体を城山稲荷神社に戻す「還御祭」で構成される。開催年には多くの観光客でにぎわうが、10年に1度では、街への経済効果として大きな期待はできない。

今後は市域を超えて、西の出雲大社と、東の鬼太郎ロードでにぎわう鳥取県境港、さらには、大山までを絡めた観光ルート化に、松江の街の魅力をいかに植え付けていけるかが課題であろう。幸い、先日この街を訪れると、まだ人数としては少ないものの、外国人観光客の姿も見られるようになった。遅まきながら、市内には、新しいホテル建設の看板も目立つようになってきた。松江の街にも、大きな転機がやってきそうな予感がする。

国東市——自然を活かして新たなチャレンジをする進取の街

国東市は大分県の北東部、瀬戸内海に突き出た丸い形の半島、国東半島の東半分を占める。半島は、標高721メートルの両子山《ふたご》を筆頭とする、両子山火山群から形成され、海岸部は、複雑な地形のリアス式海岸となっている。

急峻な山々に阻まれて、市内には鉄道がない。小倉から鹿児島に至る日豊本線に乗ると、電車は、豊前長州駅から南に折れ、半島を避けるように宇佐、立石、杵築《きつき》を抜け、日出《ひじ》の海岸部に出る。国東へは、宇佐や杵築からバスに乗ってアクセスすることになる。

いっぽう、国東市には、大分県唯一の空港・大分空港がある。空の玄関口を確保する国東市だが、空港に降り立った多くの観光客は、そのままリムジンバスに乗って、別府や由布院、大分方面へと向かう。

こうした交通便の悪さもあって、国東市は近年、人口減と高齢化に悩まされてきた。２００９年４月末で、３万３５００人あった人口は、２０１９年４月末には、２万７９００人に減少。10年間で、約17％の減少である。高齢化率も40％を超え、街中を歩いても、若い人の姿をあまり見かけることはない。

だが国東半島は、太古の昔から人が住み続けた地域で、市内のいたるところに、数多くの神社仏閣を見ることができる。パワースポットとしても有名な両子寺をはじめ、安国寺、瑠璃光寺、文殊仙寺など、長い歴史を持つ仏閣が、近年は観光スポットとして見直されてきている。

また、歴史ある神社仏閣では、様々な祭りが開かれることで注目される。修正鬼会《しゅじょうおにえ》は、半島の六郷満山寺院で行われる祭りで、国東市では岩戸寺が舞台だ。西暦の奇数年、旧暦の1月7日直近の土曜日に行われる。仏教の儀式でありながら、農耕儀式や庶民信仰を背景としたもので、最近では多くの観光客が訪れるようになっている。毎年10月14日に行われるケベス祭りは、櫛来社《くしく》（岩倉八幡社）で行われる奇祭。面をつけたケベスと呼ばれる踊り手が、奇怪な踊りを披露する。

こうした、日本古来の祭りや行事を目にしようと、最近では外国人、とりわけ欧米系の外国人観光客の姿が、目立つようになってきた。また半島は、格好のトレッキングコースで、若者や外国人が挑戦するようになった。これまでは見られなかった趣向の客がやってきているのだ。

海に囲まれた生活環境は、マリンスポーツの分野でも、威力を発揮し始めた。２０１８年ウインドサーフィンの世界大会を主催する、ＰＷＡの年間ツアーで、21歳以下の「フォイル」部門で、日本人初の年間王者に輝いたのは、国東市在住の穴見知典さんだ。穴見さんは国東を拠点に活動しながら、世界大会に遠征している。

スポーツと市民生活の親和性に目を付けた市も、素早く動いた。２０１８年3月、国東市は、アウトドアスポーツメーカーのモンベル社と、自治体としては初となる、包括連携協定を締結。アウトドア活動等の促進を通じた地域の活性化や、市民生活の資質向上を目指す。

歴史や伝統、文化を守りながら、新たな「人が集まる」仕掛けとして、トレッキングやサイクリング、ウインドサーフィンなどのアウトドアスポーツを組み合わせて、新たな発展の道筋を作ろうと、街は努力を重ねている。また半島は温暖で、台風などの被害も少ないことから、キウイフルーツをはじめ、多くの野菜や果実の生産地としても、注目を集め始めている。

前に進み積極的に新しいものを取り入れていく。進取の精神が、この街に新たな成長を促していくだろうと期待している。

第八章　今注目の成長する街

北千住――大学誘致に成功し大幅イメージチェンジ

東京都足立区北千住は、隅田川と荒川に挟まれた、中州のような場所に位置する。「北千住」は駅名であり、駅の西側は「千住」と「千住仲町」、東側は「日ノ出町」「千住旭町」「千住東」という町名。

北千住駅は、JR常磐線、東京メトロ日比谷線、千代田線、東武伊勢崎線、そして、2005年8月に開通した、首都圏新都市鉄道つくばエクスプレス線（TX）をあわせた、5つの鉄道路線が集まるターミナル駅だ。東京都心へのアクセスは良好で、大手町へ17分、秋葉原には、10分程度で行くことができる。

また、北千住に集まる鉄道路線は、東武伊勢崎線が半蔵門線と、小田急線が千代田線と、そして、上野東京ラインが常磐線と相互直通運転されているので、首都圏の広いエリアから、北千住にアクセスが、容易にできる点も特筆される。

これまでこの街は、どちらかといえば、足立区という、23区内でも人気のない区の、「ちょっとヤンチャな街」というイメージが強く、サラリーマンや若い女性には、あまり縁のない街といえた。

そんな北千住に変化が訪れたのが、2005年2月に足立区が定めた、「足立区文化産業・芸術新都心構想」だ。区では、人口の減少に伴って、学校の統廃合を進める一方で、跡地の活用として、文化や芸術、新しい産業の誘致に力を入れる戦略構想をぶち上げた。

この構想をもとに、区は東京電機大学・東京藝術大学・放送大学・帝京科学大学・東京未来大学の招致に成功、2020年にはさらに、文教大学の進出も決定している。こうした教育機関の相次ぐ進出は、街に大きな変化を引き起こしている。これら教育機関の学生や教職員の数は1万人を超え、今までこの街であまり見かけることのなかった、新しい「人種」が登場したのだ。大学はともすると、塀の中だけで活動するものだが、東京藝術大学では、定期的に街で演奏会を開き、就学前や小中学校の生徒向けに、音楽教育の支援活動を行い、東京電機大学は、インキュベーションオフィスを開設して、新しい起業の芽を育てている。

交通の利便性が向上し、さらに、この街を若い人たちが闊歩するようになって、街に対するイメージは、がらりと変わった。もともと都心へのアクセスが良いことが見直され、また、街中に若い人向けの飲食店や物販店が増えるに従い、この街に住みたい人も増えてきたのだ。リクルート社が発表する「住みたい街ランキング」関東版では、22位。その中の「穴場だと思う街ランキング」では、なんと3年連続で1位を獲得している。

いっぽうで、駅前の商店街が活性化されたのかといえば、そうでもないようだ。これまでのブルーワーカー向けの飲食店や物販店には若者は来ず、これまで来ていた客も街を歩くのが気恥ずかしくなったのか、足が遠のくようになり、売上が減少している店も増えていると聞く。実際に、北千住を取り巻く5つの街の人口の合計を見ると、2010年に2万6731人であったのが、2018年では2万7244人と、513人しか増えていないのだ。

若者が定着するのは、ファストフード店や居酒屋チェーン店であり、かつて親父達が、一日の疲れを癒しに立ち寄った一杯飲み屋ではないのだ。この街は今、時代の波にもまれて、新しい一歩を踏み出したようだ。街の新陳代謝である。そして、この街で学んだ学生の多くが、そのまま街に「居つく」ようになれば、その時初めて、北千住が「穴場」から卒業して「住みたい街」になっていくのかもしれない。

立川市——防災拠点を備えた安心安全の、未来の「郊外タウン」

立川市は、東京都多摩地区のほぼ真ん中にある、人口18万人の街である。JR中央線・立川駅から特別快速に乗車すれば、新宿駅には25分、東京駅には40分程度で、アクセスができる。立川駅は中央線のほかにも、JR南武線があって、川崎方面へもアクセスが可能であるし、JR青梅線で、奥多摩方面にもつながっている。

また、市を南北に貫く足の便としては、多摩都市モノレールがある。このモノレールに乗れば、北は玉川上水で西武拝島線に接続し、立川から南では、高幡不動で京王線に、多摩センターで、小田急多摩線と京王相模原線に接続する。立川は、多摩エリアの広範囲から、人

立川駅の南口

を集める交通網が整備された街といえる。

立川は、１９７０年代前半までは、「基地の街」という色彩が強かった。立川を語る際、この地の、軍事上の拠点としての歴史を語らないわけにはいかない。１９２２年、当時の立川村に、帝国陸軍飛行第５連隊が「立川飛行場」を設置したのが、この街と軍とのつながりの発端だ。１９３０年に、当時中央区の月島にあった、石川島飛行機製作所が立川に移転。１９３６年、立川飛行機株式会社となって、帝国陸軍の軍用機を製造した。

終戦後の１９４５年９月、立川飛行場は米軍に接収され、朝鮮戦争やベトナム戦争では出撃の拠点として使われ、この街から戦争の臭いが消えることはなかった。１９５０年代後半には基地を拡張しようとする米軍と、これを阻止しようとする住民や学生などとの間で、激しい闘争が起こり、舞台となった地名から、「砂川事件」として、その名が歴史に刻み込まれている。

その後、1977年に、米軍は現在の横田基地に移転し、立川基地は全面返還される。跡地は、住宅などの乱開発に充当されるのではなく、陸上自衛隊の立川駐屯地や、国営昭和記念公園となり、さらに国の機関である「立川広域防災基地」が整備された。

立川広域防災基地は、首都圏での大規模災害発生時には、災害応急対策活動の拠点となるよう整備されている。たとえば、南関東で大規模な災害が発生した際には、空輸によって、人員や物資などの緊急輸送の中継・集積拠点となる。この基地では自衛隊だけでなく、警察や消防、広域災害基幹施設としてのＤＭＡＴ（災害派遣医療チーム）が、一体となって対応する体制が整えられている。そのために、立川飛行場に残る、長さ９００メートルの滑走路は空輸に使用され、昭和記念公園には、備蓄食糧などが整い、緊急の場合には、立川の街が一躍災害対策の街として機能するようになっているのである。

「安心・安全」を地で行く立川は、多摩地区の中心都市として、多くの人が集まり始めている。その姿は、人口動態を見れば明らかだ。２０１7年度では、東京23区へは転出が上回る（90人）ものの、立川以外の多摩エリアからは３４３人、その他全国からは７５２人の転入超になっている。

特に最近では、市内の丘陵地の、ニュータウンなどの戸建て住宅に住んでいたシニア層が、車を捨てて、立川駅周辺のマンションに移り住む傾向が顕著になってきた。これは、「勝手コンパクト化現象」とも呼ばれるもので、特段に政策誘導せずとも、人々が自主的に駅周辺に居を移す行動として注目される。こうした人の移動を受け入れるべく、駅周辺には、JR系のルミネやエキュート、百貨店の伊勢丹があり、2015年12月には、多摩都市モノレール立飛駅前に、店舗面積約6万平方メートルの、ららぽーとがオープン。立川の街には、多くの人が行きかう、未来の「郊外タウン」の姿が垣間見えるのだ。

中野——三世代にわたる老若男女が楽しめる街へ進化

東京を代表する巨大ターミナル・新宿駅から、中央線に乗って西へわずか4分のところに、中野駅がある。今、この中野が、都内でも目が離せない街として注目されている。

中野は、JR中央線、総武線および東京メトロ東西線が交わるターミナル駅である。街を東西に走るJRの中野駅を真ん中にして、南東にある一丁目から、時計回りに西へ三丁目まで。線路を跨いで、北西にある四丁目から東へ六丁目まで、駅を取り囲むように街が形成されている。街の人口は約2万7000人である。

中野は、駅周辺にひろがる閑静な住宅街とともに、昔から商業が盛んなエリアだった。駅北口を降りてすぐにある、古典的なショッピングアーケードで構成された「中野サンモール」は、1958年にアーケードが造られ、現在では、南北に延びる224メートルの通路沿いに、約110もの商業店舗が立ち並んでいる。国内の多くの駅前商店街が、「シャッター通り化」しているのに、サンモールには大手チェーン店は少なく、古くからの地元の店が、今でも元気に店を開いており、裏路地には、おしゃれなレストランや、気の置けない居酒屋が立ち並んでいる。

サンモールの突き当たりにあるのが、中野ブロードウェイである。この商業ビルの歴史は古く、1966年に誕生している。このビルを有名にしたのが、1980年にオープンした、漫画専門古書店「まんだらけ」である。以来中野ブロードウェイは、サブカルチャー文化の殿堂として、「西の秋葉原」とまで呼ばれる、オタクの聖地となっている。

中野のもうひとつの顔が、中野サンプラザである。1973年6月竣工で、全国勤労青少年会館として産声を上げたこの施設は、中野サンプラザという名称で、ホール、遊技場、ホテルなどの複合施設となり、芸術文化の発信拠点として名を馳せている。

こんな中野の街を大きく変貌させたのが、2000年代に入って次々と行われた再開発事業である。2012年、中野四丁目にあった警察大学校などの跡地に、中野セントラルパークがオープンした。それまでオフィス街のイメージがなかった中野に、2棟の大型オフィスビルが建ち上がり、キリンホールディングスや栗田工業の本社が、テナントとして入居。ま

中野ブロードウェイ

た早稲田大学・帝京平成大学・明治大学などの新しいキャンパスが開校し、街は若い学生たちでにぎわうようになった。また、敷地内には、千代田区富士見にあった警察病院が移転をしてきて、医療関係施設も充実が図られた。

さらに同年、駅南西側のマルイ旧中野本店跡には、中野ツインマークタワーという、２３４戸の超高層マンションが分譲され、新装された中野マルイと建物が接続する形で、新しい街並みが形成されている。このマンションは、分譲当時から青山ブックセンターと提携したライブラリーを持つマンションとして話題となり、現在でも、中古価格で新築分譲時の15％から20％の高値で売買されている。

中野区は、老朽化が著しい区役所庁舎と中野サンプラザを一体として再開発し、２０２５年には、

1万人収容のホールを擁する、一大文化拠点とする構想を発表している。

中野は、従来からあった商業機能に加え、オフィス、住宅、学校、医療、そして芸術文化を含めたあらゆる機能が融合した、三世代にわたる老若男女が楽しめる街へと、さらに進化しようとしている。中野の街に、「未来」につながるロードマップが見えるのだ。

清澄白河――ミレニアル世代を惹きつける、新たな下町

「清澄白河」は、都営大江戸線と東京メトロ半蔵門線が交差する駅名であり、地名ではない。実際には、清澄白河駅を囲むように、清澄・白河・三好・平野・深川といった街で構成されている。これらの街は、いわゆる東京の下町で、江戸時代から街並みが形成され、その中でも、このエリアは「深川」の名に代表される、下町情緒あふれる街である。

都営大江戸線・清澄白河駅が誕生したのは、2000年12月である。それまでこの街は、いわば「陸の孤島」ともいえるところだった。この街から都心部に出るには、清澄通りを北に、小名木川を越えて森下に出て、都営地下鉄新宿線に乗る。または南に下って、門前仲町から東京メトロ東西線に乗るしかなかった。

都営大江戸線が開通し、街の利便性は飛躍的に向上したものの、この線は東京を環状に走る地下鉄であったので、都心部に出るにはやや難があったが、2003年3月に、東京メト

ロ半蔵門線・清澄白河駅が開通すると、都心部へのアクセスがさらに向上する。同駅から都心オフィス街である、大手町駅までは、わずか3駅7分になったのだ。

半蔵門線開通時の２００３年には、清澄白河駅の1日当たりの平均乗降人員数は、都営大江戸線で1万８６９０人、東京メトロ半蔵門線で1万９６５７人であったのが、２０１６年には、それぞれ4万１０３２人、５万４２０１人となっている。13年あまりの間に、都営地下鉄は２・２倍、東京メトロは２・７倍もの大幅増になっている。

都心への交通アクセスの向上により、街の中には高層マンションも分譲され、タワーマンションは、坪単価４００万円以上の価格付けがなされるようになるほど、人気の街へと変貌を遂げている。

しかし、清澄白河の人気の原因は、単に都心へのアクセスだけではなさそうだ。この街は現代の30代、40代のミレニアル世代を惹きつける、多くの魅力を持った街なのだ。２０１５年12月、米国の人気カフェ「ブルーボトルコーヒー」が、日本上陸第1号店として店舗を構えたのが、この街である。

もともとこの街は、江戸時代から物流の拠点であった。小名木川を始め、街の中を縦横無尽に流れる運河に多くの船がつながれ、大川（隅田川）を利用して、荷物の運搬をしていたのだ。そんなことから街中には、古くからの倉庫や工場が点在し、その姿に溶け込むように住宅が建てられ、寺院や清澄庭園、木場公園といった緑にも恵まれている。

ブルーボトルコーヒーがこの地を選んだのが、彼らの発祥の地である、オークランドの街並みを彷彿とさせることからだったことも、この街の人気に拍車をかけている。今、こうした倉庫や工場の一部は、カフェなどにコンバージョンされ、1995年にオープンした東京都現代美術館につながる界隈には、多くのギャラリーが軒を連ねている。「深川資料館通り商店街」や「高橋のらくろード（高橋商店街）」などの個性的な商店街も、多くの若者の心を惹きつけている。

清澄白河を語るとき、そこには、ただデベロッパーやゼネコンが、交通利便性を掲げて高層マンションを売りまくるだけの構図にはなく、ミレニアル世代が好む多くのアイテムが、この街に詰まっているのだ。清澄白河に新しい下町の像が見える

海老名市――便利な都市機能と豊かな自然のバランスが絶妙

神奈川県海老名市は、神奈川県のほぼ中央部に位置する、人口13万人を超える県内中核都市のひとつである。市の中心部には小田急線、相模鉄道線が並行して走る、海老名駅があり、西に離れて、JR相模線・海老名駅がある。

この街が注目を浴びるようになったのは、1993年に小田急線・海老名駅東口にワーナ

ー・マイカル・シネマズの国内1号店がオープンした時だ。この時代、海老名市は人口が10万人の大台を超えていたが、県内中部の中心都市は相模大野であり、厚木だった。ここに大型の映画館が来ることには、驚きの声が上がったのだった。

２００２年になると、小田急電鉄が中心となり、駅東口に「ViNA WALK」（ヴィナウォーク）という、店舗数約１３０店の大型商業施設がオープンする。さらには２０１５年10月、駅西口に、店舗数約２５０店の「LaLaport EBINA」（ららぽーと海老名）が開業する。駅周辺部は、小田急電鉄が多くの土地を所有していたせいもあるが、大型商業施設の開業が陸続するのは、それだけ海老名に、都市としての発展可能性を、事業者側が見抜いているからだ。

街としての海老名を俯瞰すると、たしかに、この街には人が集まる条件がそろっているといえる。小田急線は、新宿駅まで快速急行で43分。相模鉄道で横浜駅まで33分。相模鉄道は、２０１９年度にＪＲ線に乗り入れ、２０２２年度には東急東横線に乗り入れ予定で、東京へ直接アクセスできるようになる。また、相模線で31分のＪＲ橋本駅には、２０２７年度開通を目指して、リニア新幹線も建設中だ。

バス路線も充実している。羽田空港までリムジンバスが運航、新宿駅や横浜駅から深夜バスがあるので、遅くまで遊んでいても平気である。

高速道路は、東名高速と圏央道の接続点として、海老名ジャンクションができ、車移動も快適になった。

市内には、雪印メグミルクや富士ゼロックスといった企業の工場もあって、市の税収を支え、駅周辺には、こうした企業のビジネス需要をあてこんで、オークラ系列のオークラフロンティアホテルやホテルビスタなどのホテル施設も充実している。

さらに小田急線・海老名駅とJR海老名駅間の、約3万5000平方メートルの敷地には、現在、小田急電鉄が中心になって、事業費約600億円を投じる再開発計画が進行中だ。小田急電鉄の発表によると、このエリアには、「くらしエリア」と「賑わい創出エリア」の2つのエリアを設け、「くらしエリア」には、タワーマンションやサービス付き高齢者住宅（サ高住）などを、「賑わい創出エリア」にはオフィス、商業施設、ホテルやフィットネスなどを設ける予定となっている。全体の完成は、2025年度を予定するが、すでに小田急電鉄や三菱地所レジデンスが分譲する、地上31階建ての「リーフィアタワー海老名」の販売が開始され話題を呼んでいる。

海老名の活力は、『日経ビジネス』2016年1月25日号の「活力のある都市ランキング」においても、全国51位、神奈川県内では藤沢市に次いで2位と、高い評価を受けている。

また、都市施設ばかりが注目されるが、実は海老名は自然が豊かで、農業も盛んだ。特に「イチゴ」の出荷では、共販出荷量で県内1位、いちごワインは、海老名の名産品としても名高い。

都心部までの程よい距離と充実した都市機能、そして町を取り巻く豊かな自然。海老名市は「人を集める」機能を見事に融合し、持続可能性の高い街を形成しているのである。

流山市——子育て世代にアピールし、人口が見事若返り

千葉県流山市は、東京都心から北西へ、直線距離にして約25キロメートルに位置する、人口約18万6000人の街である。市域は、江戸川の東岸に沿って、南北約7キロメートル、東西約5キロメートルに及ぶ。

流山は、古くは江戸川と利根川に挟まれていたことから、水運が盛んであったが、高度成長期以降、首都圏に多くの人々が集まってくるにしたがい、都心に通う勤労者の街として急速に宅地化されていった。

だが、21世紀を迎えるまで、都心に通う勤労者の街としての流山に対する評価は、必ずしも良いものではなかった。なぜなら、都心から25キロメートルとはいうものの、都心へのアクセスは、必ずしも良好ではなかったからだ。

以前は、流山から都心部に出るには、ＪＲ常磐線に接続するしかなかった。しかも常磐線は、市の南東部をわずかにかすめるだけで、都心へ通勤するには、隣の柏市の南柏駅に行くか、流鉄流山線の馬橋駅、ＪＲ武蔵野線の新松戸駅、または、東武野田線の柏駅にアプローチするしか方法がなかったのだ。

この交通利便性の難を解消したのが、２００５年８月に開通した、首都圏新都市鉄道「つくばエクスプレス」である。この鉄道は、秋葉原駅から茨城県のつくば駅まで快速で45分で結び、流山市の中心部を縦断する。市内には「南流山」「流山セントラルパーク」「流山おおたかの森」の３つの駅が誕生した。特に、ＪＲ武蔵野線・流山おおたかの森駅では、東武野田線と接続し、「人が集まる街」として人気が出た。駅前には、高層マンションや大規模商業施設が続々誕生したのだ。

しかし、流山が注目されたのは、交通利便性だけではない。子育て支援と教育環境の充実に、市を挙げて力を入れている点が注目される。「母になるなら流山市」のキャッチフレーズのもと、20代、30代の子育て世代に、照準を合わせた取り組みを行っているのだ。

具体的には保育園や幼稚園の充実だけでなく、市内２ヵ所に駅前保育送迎ステーションを設けて、市内すべての保育園に送迎する制度を構築。市内の小中学校すべての校舎を耐震化、エアコンを導入している。さらには、教育の充実を掲げ、市内すべての中学校に、ネイティブＡＬＴ（外国語指導助手）、小学校には英語指導員を配置。算数や数学には、チームティーチングを導入するなど、ユニークな取り組みが脚光を浴びている。また、２０１５年には、

流山おおたかの森駅付近の空撮

市内で初の小中併設校を開設している。

こうした取り組みの結果、2017年住民基本台帳人口移動報告（総務省）における転入超過数（転入者から転出者を引いた数値）で、流山市は、上位に政令指定都市が名を連ねる中、全国8位の3909人を記録するに至っている。しかも、そのうち20代、30代の超過数が、2473人を占めており、子育て世代がこの街に集結している様子がうかがえる。

流山はもともと緑が多く、市内の森にはオオタカが棲息するともいわれている。自然環境が豊かな街で子供を育てたい、というニーズはいつの時代も根強い。

今、首都圏の郊外住宅地は、住民の高齢化に悩まされ始めている。若い人たちが街に入ってこないからである。流山もかつては、団塊世代が買い求めた典型的な住宅地であったが、今は団塊世代に代わって、子育て世代の支持を集める街になっている。この街の「持続可能性」を追求する姿に、新しい住宅地の顔が垣間見えるのである。

第九章　奮闘中の地方都市

鶴岡市――空き家・空き地対策の先進都市

鶴岡市は、山形県の日本海側、荘内地方の南部に位置する、人口12万5000人の街である。旧鶴岡市は、1924年に制定された古い街だが、2005年の合併を経て、現在の姿になっている。

この街は、江戸時代、庄内藩・酒井氏の城下町として栄えた。加茂港は北前船の寄港地で、多くの物資が取り扱われ、京都をはじめ、全国各地から文物や文化が流入し、東北地方のなかでも、異色の街として発展を遂げてきた。農業も盛んで、だだ茶豆は、その滋味深い豊かな味わいで、今や全国ブランドに上りつめているし、庄内米、庄内柿や民田茄子などの名産品にも恵まれている。

出羽三山と呼ばれる月山・羽黒山・湯殿山は、修験道などの山岳信仰があり、今でも修験者が登ることで有名だ。また、新潟県との県境にある鼠ヶ関は、勿来《なこそ》関、白河関をあわせた、「東北三関」として有名である。

現在、この街を悩ませているのが人口の減少と、住民の高齢化である。その原因のひとつが交通便の脆弱さだ。東北地方は東北新幹線のほか、在来線を利用した秋田新幹線や、山形新幹線が整備されている。しかし、山形新幹線は奥羽本線を利用していることから、福島から米沢、山形を通った先は、新庄までしか、つながらない。いっぽう、鶴岡駅がある羽越本

鶴岡駅

線は、日本海側を走って、新潟県新津方面につながるため、首都圏からの交通アクセスでは、圧倒的に不利な立地にあるのだ。海上交通で栄えてきた街は、陸路では恵まれていないのだ。

人口の減少と高齢化は、空き家の増加を招く。市では、比較的早くから空き家・空き地の対策を行ってきている。活動のひとつが、特定非営利活動法人（NPO）つるおかランド・バンクだ。ランドバンキングとは、空き家や空き地などを、フアンドなどの仕組みを使って取得し、周辺土地を含めて一体で活用・再生する仕組みで、都市のスポンジ化を食い止める手法として、アメリカで始まったものである。鶴岡は静岡県掛川市とともに、この手法を取り入れた対策を、早くから実践している、空き家・空き地対策の先進都市として名高い。

ランドバンク事業では、指定地域内で空き家を買い取って解体、整地し、両隣の家などに売却して、あわせて前面道路を拡幅整備するなどの事業支援を行い、成果を上げている。空き家バンクでは、空き家を登録して賃貸、売却などのマッチングを行う。また、空き家の管理事業や、他用途へのコンバージョン支援も行っている。ファンドによる助成事業としては、空き家の改修や建て替えに伴う、コミュニティ施設の整備支援、私道整備による、地域の利便性の向上、町内会への空き地の提供、ランドバンク事業者向けの活動支援など多岐にわたっている。

こうした活動は、地元の宅地建物取引業や建設業、行政書士、司法書士などの専門機関団体、銀行や大学、行政などが、一体となって行っていることに特色があり、2017年度の国土交通省「先駆的空き家対策モデル事業」にも採択されている。

だが、こうした献身的な努力のいっぽうで、空き家の増加は止まっていない。市独自の調査では、2015年度の市内の空き家数は、2806戸。ところが翌年度に、この数は3195戸と、13・8%も増加している。この間、空き家の解体は131戸、入居や建て替えで145戸と、成果を上げるいっぽうで、新たに662戸もの空き家が発生、前年度の調査漏れ3戸を含めて、3195戸に達しているのである。ここに、空き家対策の難しさがある。目の前の空き家対策に取り組むだけでなく、街全体としての「人が集まる」施策が、今こそ待たれるところである。

新潟市——新鮮な魚介や農作物が最大の強みに

新潟市は、広さ2000平方キロメートルにも及ぶ、広大な越後平野の、ほぼ中央部を占め、新潟県の県庁所在地であるだけでなく、日本海側最大の都市であり、人口81万人を数える政令指定都市である。

この街を訪れると、誰もが驚かされるのが、この広大な平野と、平野の豊かさを象徴するかのように流れる「水」である。肥沃な平野と、水に恵まれた新潟は米どころ、酒どころとしても知られる。東京からは、上越新幹線で約2時間。高速道路でも、関越自動車道で東京と直結するため、工業や商業での結びつきは、非常に強い地区といえる。しかし、新幹線と高速道路でつながっている「近いはず」の新潟であるが、実は、東京の人たちには意外と知られていない別の魅力が、数多く存在する。

新潟の街は、信濃川と阿賀野川に挟まれるように形成され、街の中心は、信濃川が二手に分かれて日本海に流れ込む、新潟島の中心部にある古町エリアと、川の南東側の万代エリア、そして、JR新潟駅周辺エリアに分かれる。

古町は江戸時代、新潟港が北前船の日本海側最大の寄港地として、大いに栄えたことから、多くの遊郭が軒を連ねていた。その後昭和初期には、京都の祇園、東京の新橋と並ぶ、日本の三大花街として、全国にその名が知られるところとなった。古町は、古町通と呼ばれる通り沿いに、1番町から13番町まで分かれている。このうち、8番町や9番町付近には、当時の面影を残す店や、多くの飲食店が立ち並んでおり、お店のなかには、今でも芸妓を呼べるお店もある。

花街というと、一般の人にはハードルが高いように映るが、古町は街をもっと知って楽しんでもらおうと、「古町花街ぶらり酒」という期間限定のイベントを開催している。このイベントでは、4枚つづりのチケットで、1枚につき料理1品、酒1杯がつく。このチケットで、街中を自由に遊んでもらおうというものだ。余ったチケットは、タクシーでも使えるというすぐれものである。

古町と信濃川を挟んで、対岸に位置する万代は、1929年竣工で、国の重要文化財ともなっている萬代橋付近を中心に、隣接する八千代町とともに、街のもうひとつの中心を占めている。バスターミナルが整備され、万代シティなどの大型商業店舗、ホテルなどが軒を連ねる。

このエリアで見逃せないのが、2010年10月に、万代島の旧魚市場跡にオープンした商業施設、ピアBandaiである。この施設は、県や市が地域経済活性化を目的に計画した「万

信濃川と新潟市街

代にぎわい空間創造事業」の一環として、新潟魚市場の跡地に、地元の鮮魚などの販売を行う市民市場としてオープンしたが、地元民に交じって、多くの観光客が訪れるようになり、土日ともなると、朝のオープン前から駐車場前は、長蛇の車列となっている。この市場を訪れれば、新潟が米や日本酒だけでなく、ビールやワイン、新鮮でおいしい野菜、果物、そして日本海の豊富な海の幸に、いかに恵まれているか、に気づくことだろう。

JR新潟駅周辺は、1958年の駅移転以後は、東大通りを中心にオフィス街が形成され、1982年の新幹線開通後は、南口にも市街地が広がっている。

こんな素敵な新潟の街であるが、新潟の県民性として、「おとなしい」あるいは「宣伝がへた」などと、言われるようである。たしかに、東京で新潟の街が話題になることは少ないような気がするが、砂丘が続く国道402号線から見る、日本海に沈む夕日は圧巻であるし、海沿いに下れば、カーブドッチという、新潟産のワインが楽しめるワイナリーもある。東京人は近くてあまり知らない街、新潟にもっと足を運ぶことをお勧めする。

松阪市――世界的な肉牛と豪商の産地も、人口減少に苦慮

三重県松阪市は、三重県のほぼ中央部、東に伊勢湾、西に奈良県に接する、東西に長い、人口約16万人の街である。

この街は、1588年（天正16年）に蒲生氏郷が開いたとされる。蒲生氏郷は、織田信長や豊臣秀吉に仕えた武将として名高い。氏郷は、松ヶ島という地の12万石の大名となり、松ヶ島の「松」と、秀吉の本拠地大坂の「坂」をあわせて、この地を「松坂」と名乗ったといわれる。したがって、「松阪」という呼称は、「まつざか」ではなく、「まつさか」と読む。

松阪といえば、世界的な肉牛ブランド「松阪牛」を思い浮かべる人は多い。松阪牛の起源は、江戸時代この地域の農民が、但馬国（現在の兵庫県）生まれで、紀伊国の紀の川流域で育てられた雌牛を、農作業用に購入をしていたものを指すという。ここの牛は、農民から家族のように大事にされ、またよく肥えていたことから、幕末になって、神戸の外国人居留地

に住む外国人から、神戸ビーフの名で親しまれるようになった。

明治になると、山路徳三郎が、十数頭の牛を引き連れて、東京に売りに行く、「牛追い道中」などで、松阪の牛は有名となり、東京の料理店で、牛の扱い方を学んだ松田金兵衛が、地元松阪に、「和田金」という精肉店を経営するようになる。この街は、伊勢神宮への参宮経路にあたることから、松阪牛を使った料理店が、大いに繁盛したのだ。松田金兵衛の「良い牛しか扱わない」方針は、やがて、松阪牛を世界の高級和牛ブランドへと昇華させていく。

世界的に有名な松阪牛に比べて、地味で意外と知られていないのが、松阪は「三井家発祥の地」であることだ。三井家の祖先は、近江の地方官だったといわれ、戦国時代には六角氏に仕えた。5代目の高安は、三井越後守を名乗るが、六角氏は織田信長によって滅ぼされてしまう。その結果、高安は松阪に逃げ延びることになる。この戦いで、やはり六角氏の家臣だった蒲生賢秀（氏郷の父）は、信長の家臣となり、氏郷の代でこの地を治めることとなる。

松阪に生き延びた、高安の子の三井則兵衛高俊は、武士をやめて町人になる道を選択する。初めのうちこそ、「武士の商法」で苦汁をなめた高俊だが、次第に才を発揮し始め、質屋をはじめ、酒、味噌などを取り扱うようになり、父・高安が名乗った越後守をもじった、「越後殿の酒屋」と呼ばれるようになる。

こうして三井家は、高俊の子・高利の代になると金融業を拡張し、さらに、江戸に多くの子を出して修業をさせる。そして、江戸本町一丁目に、間口わずか9尺の店を間借りして「三井越後屋呉服店」を開業する。その後、この店が「三井」の「三」と、越後屋の「越」をあわせて「三越」となるのは、よく知られたところだ。

また、ここから三井銀行（現在の「三井住友銀行」）・三井物産・三井不動産の、「三井御三家」が誕生している。まさに、松阪は豪商の生まれる街だったのである。

だが、高利も事業の発展を江戸に求めた。三井によって、松阪の街が繁栄したわけではない。その姿は、ドイツ出身のロックフェラーが、子供や孫をアメリカに送り込み、一大財閥に育て上げる姿と重なる。第二、第三の豪商が、再びこの街で生まれるのか。人口減少、高齢化に悩む街に、まだその気配を感じることはない。

盛岡市——歴史や文化に彩られた街を、いかにアピールするか？

盛岡の街を訪れて、最初に気づかされるのは、この街の自然景観の美しさだ。市内には北上川、中津川、雫石川の3本の河川が合流し、川辺の景観が、とりわけ美しい。雫石川の上流にできた、御所ダムによって作られた御所湖は、人工湖であるが、四季折々の眺めは圧巻である。目を西に向ければ、岩手山の勇壮さと対照的に、なだらかで女性的な山容の駒ヶ岳が、東には、北上山地の最高峰・早池峰山を拝むことができる。

岩手山と盛岡市街

盛岡市は、岩手県北上盆地のほぼ中央部にある、人口29万3000人の中核市である。南部氏の居城とされた、盛岡城を中心とした城下町で、街中は、城下町としての風情を、いたるところに残し、「みちのくの小京都」とも呼ばれている。

盛岡出身の詩人・石川啄木は、盛岡を「美しい追憶の都」と呼び、岩手県に縁の深い作家の宮沢賢治は、この街を、親しみを込めた言葉で「モリーオ市」と呼んだという。

街中には、洋館も多く見ることができる。岩手銀行の赤レンガ館は、1911年（明治44年）に、当時の盛岡銀行本店として建築された、ルネッサンス風の建物で、東京駅を設計した辰野金吾氏の手によるものだ。また、旧第九十銀行の店舗を保存した、「もりおか啄木・賢治青春館」は、1910年（明治43年）築の洋館で、国の重要指定文化財に指定されている。

歴史や文化に彩られた街、盛岡であるが、経済に目を向けると、目立ったものが見当たらない。市内に本拠を持つ有力企業に乏しく、東北の拠点の多くは、仙台市に所在する。東北新幹線の開通や、盛岡から秋田へ向かう秋田新幹線の開通は、盛岡を交通の要衝に仕立て上げてはいるが、産業が集積するには至っていない。地政学的にも、盛岡は東西を山地に挟まれ、南北にしか発展の余地が少なく、しかも青森、秋田という、どちらかといえば都市としての発展が停滞している街を、後背地に抱く点も、盛岡が経済的な拠点となりにくい理由となっているのかもしれない。

人口も、２０００年の30万２０００人（合併前の旧都南村、旧玉山村を含む）をピークに、減少傾向にある。とりわけ、近年の人口動態をみると、出生数を死亡数が上回る、自然減の傾向が強くなっている。このまま推移すれば、２０４０年には、人口は24万７０００人にまで減少することが、推定されている。

「小京都」としての観光のアピールにも、まだまだ課題が多い。東京から新幹線に乗って盛岡までは、２時間15分ほど。実は、この所要時間は、東京―京都間とほぼ同じだ。京都を訪れる観光客は、延べ数で５２７５万人を数えるが、盛岡市は４１１万人。外国人宿泊客数は、京都市４５０万人に対して、増えたものの24万人にすぎない。小京都とはいえ、この数字はあまりに小さいのではないか。

以前、この街を訪れたとき、盛岡駅西口にある、岩手県立図書館を見学させていただいた。蔵書数72万冊の大変立派な図書館で、その素晴らしい設備仕様に圧倒させられた。だが残念ながら館内は閑散としていて、せっかくの施設が、その機能を十分発揮できていないのではないかと、老婆心ながらに思ったものだ。盛岡の魅力を発信する、戦略の立案が求められている。

和歌山市——交通の便の良さがアダとなり、大都市に人が流出

和歌山県の県庁所在地・和歌山市は、県北部、紀の川の河口域にある、人口35万7000人の中核市である。和歌山市は、豊臣秀吉の弟・秀長が、1585年（天正13年）に、和歌山城を築城してから、本格的に開けた街で、江戸時代には徳川御三家のひとつである、紀州徳川家によって治められ、城下町として発展した。城下町としての名残は、町内を歩くと、その名が「丁」とつく武家町と、「町」とつく商人町に分かれるところにも、見て取れる。

和歌山市は、交通の要衝でもある。大阪とは、JR阪和線で、天王寺駅と和歌山駅が、南海本線で、難波駅と和歌山市駅がつながる。JR紀勢本線は、和歌山駅を起点に、紀伊半島を一周して、三重県亀山市の亀山駅までを結ぶ。JR和歌山線は、和歌山市駅から紀の川沿いに東に進み、奈良県王寺町の王寺駅に至る。このほかにも、南海電鉄で、紀ノ川駅と加太駅を結ぶ加太線、和歌山市駅と和歌山港を結ぶ和歌山港線、2006年に南海電鉄から譲渡され、地元の和歌山電鐵が運営を引き継いだ、貴志川線が、貴志駅と和歌山駅をつなぐ。

だが、交通の便の良さは、皮肉なことに、人々を大阪などの大都市に、供給する役割を担うことにつながった。街の人口は、1982年の40万3000人をピークに減少に転じ、1988年には、40万人を割り込む。高齢化率も29・3%と、全国平均を大きく上回る。市役所などがある街の中心部が、南海電鉄が中心の和歌山市駅と、JRが中心の和歌山駅両駅から、微妙に離れている点も、街の発展のネックになっている。

かつては、市内に4つの百貨店があったが、1998年に大丸が閉店。2001年には、地元の名門百貨店・丸正百貨店が自己破産を発表。さらには、2014年には、髙島屋が閉店。現在は、JR和歌山駅前の近鉄百貨店のみとなっている。市内中心部にあり栄えていた、ぶらくり丁商店街などが、シャッター通り商店街と化すなど、街の空洞化が顕著になっている。

和歌山市にとって頭が痛いのが、市内に目立った企業が存在しないことだ。日鉄住金の和歌山製鉄所や、花王の工場などがあるほかは、市の財政に貢献できるような、大きな企業はなく、財政状況は良くない。

期待されるのが観光需要だ。２０１８年の市内観光客数は、６６８万人。和歌山県を訪れる観光客の5分の1が市を訪れる。なかでも増加が著しいのが、外国人観光客だ。２０１８年には、外国人宿泊客数は11万７０００人に及んでいる。大阪を訪れる外国人観光客の、滲み出し需要に支えられていることが、要因と思われる。

彼ら外国人観光客のお気に入りは、和歌山城だ。この城は、１９５８年に再建されたものだが、大天守閣のほかに、３つの小天守閣を備える連立式天守閣で構成されている、国内でも姫路城や、松山城などに見られる、珍しい造りの城だ。西の丸にある紅葉渓庭園は、秋に見事な紅葉を楽しめる。また西の丸と、本丸の間にかかる御橋廊下は、藩主の行き来のために作られた、斜度が11度もある斜め橋で、藩主の姿を隠すために設けられた屋根や壁が特徴の、趣のある橋である。

外国人観光客の訪問によって、少し息を吹き返し始めた市内の商業店舗だが、まだ課題は多い。街を訪れる多くの観光客が、日帰り客であることだ。県内には、白浜や高野山など観光スポットに事欠かない。これらの観光地を含め、ルート化を図ること。風光明媚な環境を生かしたリゾート施設など、滞在できる施設の誘致等、積極的な取り組みが待たれる。

佐賀市――イメージの薄さを払拭し、魅力の情報発信に挑む

佐賀市は、佐賀県の中部にあって南は有明海、北は脊振山地に接する。人口は23万4000人、九州各県の中で、人口が最も少ない県庁所在地である。

市が属する佐賀県のイメージは、「都道府県魅力度ランキング2018」(ブランド総合研究所調べ)では、44位と印象は薄い。同様に佐賀市についても、どのような特徴を持つ街であるのか、あまり知られていないようだ。

歴史上では幕末から明治維新にかけて、「薩長土肥」と呼ばれたように、佐賀市のある肥前藩は、薩摩、長州、土佐と並ぶ維新の雄藩で、江藤新平や大隈重信などの人材を輩出している。また佐賀城をはじめとした史跡に恵まれ、城下町ならではの、丸ぼうろ・白玉饅頭などの菓子は有名である。

以前、講演でこの街を訪れる機会があった。東京からのアクセスを考えた際に、まず、佐賀に空港があるという意識が希薄である。そのため、羽田空港から福岡空港に飛び、博多から長崎本線の特急かもめに乗れば、博多から佐賀まで、わずか37分ということで、このルートを選んだ。

だが地元の方に聞けば、九州佐賀国際空港という立派な空港があり、羽田との間では、1日5便が就航しているという。空港から市内へは、バスなどでおよそ40分。博多からのアク

九州佐賀国際空港

セスと変わらないということになる。それでも、博多の街の魅力に押されて、佐賀を訪れる人の多くが博多経由でやってくるのだそうだ。空港の利用客は、上海をはじめ、ソウルや台北などのLCCの就航で、利用者数は増えつつあるものの、2017年で74万3000人。福岡空港の2379万人とは、比較にならない。

たしかに、地図を広げると、佐賀市はJR長崎本線や長崎自動車道が東西を横切り、福岡と長崎をつなぐ意味では、交通の便が良い。逆にこの交通利便性の良さが、佐賀を単なる通過拠点にしてしまい、印象に残らぬ街にしているのかもしれない。

しかし、この街をじっくりと見ると、実に趣のある街であることがわかる。

まず「水の郷100選」に選ばれるように、市内にはあちらこちらにクリーク（水路）がある。佐賀は、もともと、ほとんど丘陵がなく、中小河川が多い。この水資源を有効に利用するために、クリークが張り巡らされて、農業が盛んになった。約1万１０００ヘクタールの耕作地で米、麦のほか、レタスやホウレンソウ、トマトなどの野菜が栽培されている。またイチゴやミカンなどの果物類も、全国的に有名である。

水辺に恵まれていることで、トンボやホタルが多く生息しており、「トンボ王国佐賀」とも称され、愛好家にとって知名度が高い。水辺は、河川やクリークだけではない、南部は有明海に面することから、佐賀海苔などの水産物も豊富だ。

しかし、豊かな自然環境と、農業だけでは、たしかによそから見た印象は希薄なままだ。最近、この街がクローズアップされるようになったのが、熱気球である。

毎年秋には「佐賀インターナショナルバルーンフェスタ」と呼ばれる、アジアでは最大級の、熱気球の競技大会が行われている。この大会には国内のほか、世界十数ヵ国から、１００機程度の参加がある。嘉瀬川の河川敷を利用して行われるこの大会は、平坦な佐賀平野ならではの、壮大な景観が楽しめると人気で、毎年80万人から１００万人の観光客が訪れるようになっている。

人を集める仕掛けを施し、訪れた人が佐賀のよいもの、うまいものを、勝手に発見してS

ＮＳなどで発信する。多くの人が通過してきた街が、今、その足を止めさせる魅力を、どこまで体現できるようになるか、注目したい。

第十章　コンパクトシティ化を目指す街

青森市――コンパクトシティ化に早くから取り組むも、挫折を経験

地方都市の問題を考える際に、よく議論にのぼる考え方に、「コンパクトシティ」という概念がある。この考え方は、1970年代に米国で唱えられはじめ、その後欧州でも、「持続可能な都市づくり」として、脚光を浴びるようになったものである。具体的には、住宅や職場、店舗、病院など、生活に必要な施設を、都市部に集約することで、郊外部への無秩序な市街地の拡大を抑え、車による移動を少なくし、公共交通機関や徒歩で生活できる、高齢者でも安全で暮らしやすい居住環境を、整えようとする考え方だ。

コンパクトシティ化に、日本で比較的早期に取り組み始めたのが、青森県青森市である。青森市は、本州最北の県である、青森県のほぼ中心部に位置し、本州と北海道をつなぐ、交通の要衝として栄えてきた。

しかし近年、市街地中心部から郊外部への人口流出が激しく、道路や上下水道の整備など、数百億円の財政支出が、市にとって大きな負担となってきた。さらには、豪雪地帯であるために、毎年冬の除雪作業にかかるコストも、30億円から40億円に膨れ上がったことから、1999年、「都市計画マスタープラン」を定めて、いったん郊外に広がった市民を、市の中心部に呼び寄せようという、コンパクトシティ化構想を立ち上げた。プランにおける理念としては、

①市街地の拡大に伴う新たな行政需要の抑制
②過去のストックを有効活用した効率的で効果的な都市整備
③市街地の周辺に広がる自然・農業環境との調和

を掲げた。具体的には、市内を「インナー」「ミッド」「アウター」の3つのゾーンに分け、インナーに行政・商業・居住機能を、ミッドに居住・近隣商業機能を、アウターには、文化や芸術活動といったゾーン分けを施し、市民の集積を提案した。

駅前中心部には、2001年に185億円もの費用をかけて、大型商業施設AUGA（アウガ）が開業、5年後には来館者が637万人に達し、全国からも多くの見学者が来館。コンパクトシティ化は成功するかに見えた。

しかし、市の思惑とは異なり、AUGAの集客は、2006年をピークに減少を始め、市民の多くは、利便性の高い郊外部の商業施設を選択、AUGAは、2016年2月に、地下1階の海鮮市場を残して、事実上の閉鎖状態に陥り、撤退した物販ゾーン跡には現在、市役所が移転してきている。

コンパクトシティの考え方自体は、正しいはずなのだが、行政主導で進めてきた青森市の挫折は、今後の地方都市の在り方に、多くの示唆を与えている。

街を、ただ行政の都合で「縮小均衡」に導こうとしても、市民はついてこない。青森市では、施策の象徴的な施設として、商業施設AUGAを建設したのだろうが、こうした「ハコ」ものビジネスが、市の活性化につながらないことは、すでに多くの地方都市が経験している。

皮肉なことに、2010年12月の、東北新幹線・新青森駅の開業は、AUGAの売上の減少を加速させたともいわれている。新青森駅は、市の中心部から、西に約3キロメートルも離れた場所に建設され、開業後の値上がりを狙った土地の買収も噂された。市がどこに街の中心を据えようとしているのか、新駅の開業は、そのイメージを希薄化させたのかもしれない。

市民は、ハコの立派さではなく、「暮らしやすい街」としてのソフトウエアが、本当に街の中心部に整っているのか、意外と厳しい目で評価をしている。行政にも、イノベーションが求められる時代となっているのである。

富山市——市民を上手に「誘導」し成功も、課題は残る

富山市の富岩運河環水公園には、世界一美しいと称される、スターバックスコーヒー店が

ある。建物自体はガラス貼りの箱型で、外観や内装が特段美しいわけではない。なぜ、この店が世界一美しいかは、店に入り、お気に入りの珈琲を注文し、運河に面する窓際の席に腰を下ろしたときにわかる。

眼前に穏やかに広がる運河の水面に、天門橋というシンボルブリッジが架かり、夕日が美しい。夜にはライトアップされ、春は桜、夏は花火、秋は紅葉、冬は雪、と季節に応じた景色を楽しむことができる。この公園は、パークＰＦＩ（公募設置管理制度）の手法を利用して造られた、美しい公園。ほかの店舗と同じ価格の珈琲を、こんなにゆったりとした環境で楽しむことができるのだ。

富山市は、面積約１２４１平方キロメートル、人口41万８０００人を擁する、北陸地方の中核都市だ。市域は、北は日本海に接し、南は岐阜県に接するまで南北に長い。市域が広大であることから、人口が郊外に拡散し、自動車に頼った生活スタイルが、主体となってきた。人々が郊外へと拡散していくことは、結果として行政は、膨大な社会インフラの整備を余儀なくされ、財政を圧迫することとなった。

こうした状況を受けて、市では２００２年頃から、「富山市コンパクトなまちづくり研究会」を中心に、コンパクトシティ化の取り組みをすすめてきた。

計画の特徴は、これまでの「くるま依存」が極端に高い社会から、鉄道やバスといった、公共交通機関を縦横無尽に張り巡らし、市街地中心部へ、市民を「誘導」することを目指したところにあった。

具体的には、市内に路面電車ＬＲＴ（Light Rail Transit）を整備し、これに公共バスを接続させ、市内の交通網をつくった。今後の市民の高齢化と、人口の減少に備えて、「くるま依存」からの脱却と、市街地のコンパクト化を狙ったのだ。この取り組みは、市民に対する「強制」ではなく、あくまでも「誘導」としたところに特徴があり、全国から注目を浴びた。

コンパクトシティ化に続き、２００８年には、温室効果ガスの大幅な削減と、低炭素社会の実現に向けて取り組む、「環境モデル都市」に選定された。さらに、２０１０年には、国の新成長戦略に位置付けられた、「21の国家戦略プロジェクト」の中のひとつである、「環境未来都市」にも選ばれた。

２０１５年３月、富山にとって悲願であった、北陸新幹線も開業した。新幹線によって東京と富山は、わずか2時間強で結ばれることとなった。壮麗な立山連峰の景観、ホタルイカや寒ブリなどの食材など、もともと観光資源に恵まれた富山だったが、新幹線効果は如実に現れ、観光客数は、２０１７年で１６３７万人（実数推計ベース）に及び、これまでは少なかった、首都圏からの観光客誘致にも、成果をあげつつある。

こうした取り組みも含め、現在、富山市は日本総合研究所が主宰する、「中核市幸福度ラ

富山市内を走る路面電車ＬＲＴ

ンキング」で、豊田市に続く2位に躍進している。
ただ、課題も出てきた。コンパクトシティ政策にも、副作用が現れ始めたのである。富山市が、郊外でのショッピングセンターの開業を抑制したために、隣接する砺波市にイオンモール砺波が、射水市にコストコ射水が、小矢部市に三井アウトレットパーク北陸小矢部が、続々オープン。買い物客の多くが、これらの大型店舗に流れるといった、皮肉な事象が起こっている。いっぽうで、中心市街地の商店街には、いまだ活気が戻ってこない。環境整備と市民のライフスタイルの両立。この街は未来に向けて、課題を克服しながら成長している。

高松市丸亀町――「生活者」の街として、商店街を再構築

四国の玄関口・香川県高松市。高松市の中心部には、全長470メートルに及ぶ、巨大アーケード商店街がある。この一角を、丸亀町という。香川県で「丸亀」というと、高松市のお隣の「丸亀市」を思い出す人がいるかもしれない。それもそのはず、この街は、1588年（天正16年）、生駒親正が高松城を築いた際に、大手門前に、丸亀城下の商人たちを連れてきたのが、始まりだからだ。

この街は、その後商店街として大いに発展し、ピークであった1992年には、1日平均で約3000人の買い物客が訪れ、年間売上額は270億円にも達したという。この商店街の特徴は、中小の商店が多く、活気があって、高松の中心商店街の地位を、不動のものにしていた。

ところが、この商店街に大きな地殻変動を及ぼしたのが、1988年に開通した、瀬戸大橋だ。瀬戸大橋は、四国の悲願ともいえる本州との接続橋であり、この橋の開通のおかげで、トラックなどの交通手段を使った、陸路での物資の輸送がスムーズになり、街の経済は、大いに潤うものと期待された。

しかし、本州と道路でつながったことは、この街の商店街だけでなく、市内全般に、大資本のスーパーマーケットを呼び込むことになる。また、中心市街地の地価が高騰し、産業構

丸亀町商店街

造が変化して、工業団地などが、街の郊外に造られるようになると、丸亀町の商店街は急速に人影がなくなっていく。皮肉なことに、これまでは海が大資本の流入を防いでいたのが、橋ができたおかげで、本州からスーパーに、どんどん品物を供給できるようになってしまったのだ。

危機感を抱いた街は1991年、商店街を、A街区からG街区までの7街区に分けた、「高松丸亀町商店街再開発計画」を策定した。この計画で特筆されるのが、地方都市でよくあるような、大型店排除を掲げるのではないことだ。商店街を「消費者」のための街と考えずに、「生活者」の街として商店の上には住居を作る、ブティックだけでなく、医療モールも誘致して、高齢者でも楽しく暮らせる街を志向した。

実際にこの街を歩くと、街区ごとのコンセプトが明確だ。A街区に高級ブティックが並び、B・C街区には美容、健康、ファッション系を、D街区にはアート・カルチャー系を、E・F街区にはファミリー、カジュアル系を、そしてG街区にはレストランやバー、シネコンなどを配して、まるで街全体が、ひとつのショッピングモールのようになっているのが、特徴だ。同じような店舗構成になりがちな再開発で、時期を分けて、それぞれの街区ごとにテーマを持たせて、テナントミックスを考えた点も出色である。

また、東京や大阪にあるような4、5階建てのモールと違って、広く街中に、平面的に展開されているので、街の雰囲気や、外の天気や気温も感じ取れるところが良い。また、歩き疲れた人には、街路の途中にベンチがあしらわれ、「街ですごす」ことの楽しさを演出している。

こうした開発を行おうとすると、ただただ反対する商店主や、経済的な問題で参加を渋る地権者が出るのが常だが、丸亀町の開発では、土地に定期借地権を設定することで、所有と利用を分離したことも、一体開発の手法として注目される。

この商店街の運営は、民間が主体となったタウンマネジメント会社が行っている。2012年、G街区に丸亀町グリーンが誕生して、ほぼ街区整備が出来上がって8年となる。一部のテナントは、入れ替わりが始まり、商店街の顔も変化しつつある。タウンマネジメントは、むしろこれからが本番だ。ソフトウエアの進化が期待される。

第十一章　島の未来

石垣島——新空港の整備で飛躍的に観光客を増やす

石垣島は、日本の西南、八重山諸島の中心を占める島である。面積は222・54平方キロメートル、海岸線長で162キロメートルに及び、人口は4万7000人を数える。那覇からは、直線距離にして約410キロメートルあるが、台湾とは270キロメートルしかなく、年間平均気温が24・3度の、亜熱帯性海洋気候に属する。

海外エージェント・トリップアドバイザー発表の「世界で人気急上昇中の観光地」で、第1位に選ばれたこともある。この島の魅力はどこにあるのだろうか。

石垣島は、同じ八重山諸島の小浜島、竹富島などと並んで、リゾートアイランドとして観光客の人気を博してきた。しかし、旧石垣空港は、滑走路が1500メートルしかなく、東京や大阪から観光客を運ぶ中型飛行機が就航できず、那覇で乗り換える必要があったことから、観光客数は伸び悩んでいた。

この問題を一挙に解決したのが、2013年3月に開港した、新石垣空港、愛称「南ぬ(ぱいぬ)島石垣空港」だ。この空港は、全長2000メートルの滑走路を擁し、東京や大阪からの直行便の就航が可能となった。開港前の2012年に、70万8000人だった観光入込客数(1人の観光客が、同じ都道府県内の複数の観光地点を訪れたとしても、1人と数える)は、2017年には、137万6000人に急拡大。このうち、102万人が、この新空港

新石垣空港

から島に降り立っている。

島のもうひとつの玄関口が、石垣港である。石垣港は島の南西部、石垣市の中心市街地にある。国の重要港湾に指定され、沖縄県内や日本各地から、八重山諸島への物資や旅客の集積点となっている。石垣港が最近脚光を浴びるようになったのが、大量の外国人観光客を乗せたクルーズ船の寄港である。石垣港は埠頭の水深が、12メートルあることから、総トン数15万トン超、乗客3000人超となるような、大型クルーズ船が続々寄港するようになったのである。

2017年の、外国籍のクルーズの寄港数は129回を数え、博多（309回）、長崎（262回）、那覇（217回）に次いで、第4位に位置している。

空と海から、大勢の観光客が集まるようになった石垣島だが、降り立つ人々にも、いろいろな顔がある。夏のバカンスシーズンにやってくるのは、その多くがビーチリゾートを楽しむカップルやファミリーだが、最近は冬などのオフシーズンにも、一定数の観光客がやってくるようになっている。以前は、石垣の海の魅力に憑りつかれたダイバーが中心であったが、今は、これに中高年層が加わっているのだ。彼らは、冬でも温暖な気候である島に、数日から1週間程度「ゆったり」滞在する、比較的裕福な人たちだ。滞在中に小浜島や竹富島にも足を延ばし、石垣牛に舌鼓を打ち、滞在を楽しむという。

通年リゾートに進化を遂げつつある石垣島だが、問題点もある。リゾートの定番であるゴルフ場がないのだ。新空港が建設される際に、旧石垣全日空リゾートが経営していた石垣島ゴルフ倶楽部や、太平洋クラブが整備していた太平洋クラブ石垣島コースを、空港用地に充当したため、島内にゴルフ場が存在しなくなったのだ。八重山諸島でゴルフを楽しむには、観光客は小浜島にまで、足を延ばさなければならない。

せっかく出来上がった新空港だが、ここにも問題がある。島の中心市街地には、車で約20分から30分かかるが、本来島の生活道路であったところを流用しているために、リゾートとしての華やかさや、わくわく感が沿道に感じられないのだ。現在、新空港と市街地を結ぶ道路計画もあるが、住民の反対もあって、建設計画が遅れているという。

急激に観光客が増え、島に「よそ者」が増える中、どのように共存共栄していくか、島は新たな発展のステージを模索している。

周防大島——高齢化を街の活性化につなげる逆転の発想

山口県の東南部の大島郡、瀬戸内海国立公園内に、周防大島という島がある。島の面積は、約138・09平方キロメートル。島全体は、600メートル級の山々が連なり、平地は少ない。瀬戸内海では淡路島、小豆島に次ぐ3番目に大きな島である。しかし、その大きさの割には、淡路島や小豆島に比べて、全国的な知名度は低い。

主な産業は、瀬戸内海の豊かな幸に恵まれた漁業。そして年間平均気温15・5度という、温暖な気候を利用しての、ミカンなどの柑橘類の栽培。また、島内各所に散らばる海水浴場や、温泉をうたった観光業で構成される。

島の人口は、2017年度で、1万7030人。1975年には、3万4331人を数えていたので、40年強の間に、島の人口は半減したということだ。1976年には、島にとっての悲願であった、大島大橋が開通するが、皮肉なことに、橋の開通は、島からの人の流出を加速させてしまったともいえる。

現在、65歳以上の高齢者が、総人口に占める割合である高齢化率では、52・26%、全国でも有数の高齢化した街である。2016年度における島の出生者数は、わずかに43人。同期間の死亡者数が、４７４人に上る。これでは人口は減少の一途であり、将来は街の存続すら危ぶまれる状況にある。

人口流出が激しい島内では、空き家の姿が目立つ。２０１３年度に、総務省が実施した「住宅・土地統計調査」によれば、島内の空き家数は、４８４０戸。全住宅数に占める空き家率は36・9％、全国平均の13・5％を大きく上回る。

以前、この島を訪ねる機会があったが、明るいコバルトブルーのきれいな海に映える、島の緑と豊かな自然とは裏腹に、島内を巡る道路沿いには、それと見て空き家とわかる、老朽化した家屋が目立つ。

ともすれば、将来を悲観的に考えてしまいがちな島であるが、この島の行政組織である周防大島町は、いたって元気がよい。２０１５年12月、周防大島町は、国や県の戦略を受けた、町独自の「まち・ひと・しごと創生総合戦略」をいち早く発表した。具体的な施策として掲げたもののうち、①産業振興、②観光産業の育成、③地域資源を活用した起業支援及び商品の販路拡大、といった施策は、どの地方でもよく見られる内容であったが、これらに加えて、④日本版ＣＣＲＣ（Continuing Care Retirement Community）の周防大島版を立ち上げるといった、ユニークな施策も打ち出している。

高齢化をネガティブに捉えず、むしろ街の活性化のために役立てようという、意欲的な取り組みは、ともすると、若者ばかりに視線が移りがちな地方創生戦略が多い中で、周防大島町の、しっかりとした問題認識のもとに取り組む姿が、全国的にも注目を集めている。

具体的には、この街では医療や介護も「地域資源」と位置づけ、医療介護サービスの提供環境の充実を図ることで、島外から多くの高齢者と、「職」の創出による若者を確保しようという施策を掲げている。また、定住を希望する人に対しては、必要な改修を施したうえで空き家を提供する、起業する人には島内の施設を貸し出すなど、街ならではの支援体制も整えている。

島内には唯一の高校である、周防大島高校がある。以前、生徒さんや教職員の方々が県内の「新規事業コンテスト」に参加されており、それぞれに工夫を凝らした、島における新しい事業の絵姿を、思い思いに自由な発想で語っていたことも、大変印象に残っている。

街は、２０２５年を目途に、地域包括ケアシステムの実現を目指しているという。これからの周防大島町の取り組みに注目したい。

隠岐の島——歴史や自然が魅力だが、交通費の高さがネック

「おきのしま」と聞いて、正確に島の位置がわかる人は意外と少ない。特に関東の人間には

なじみが薄く、小笠原諸島にある沖ノ鳥島と間違える、あるいは、九州の北方の玄界灘に浮かぶ、壱岐島と混同する人も多い。

隠岐の島は、島根半島の北、隠岐海峡を挟んだ、北緯36度の日本海に位置する。「隠岐の島」といっても、ひとつの島ではなく、「島前」と呼ばれる知夫里《ちぶり》島・中ノ島・西ノ島の3島と、隠岐諸島の中では最も面積の大きい「島後」の、4つの島を中心に構成される群島だ。

隠岐の島の歴史は古く、縄文時代から人が住み、『日本書紀』の「因幡の白兎」にも登場し、当時の土器や石器が多く見つかっている。また後鳥羽上皇や、後醍醐天皇が配流された島としても有名であるが、後鳥羽上皇は中ノ島に流され、60歳で崩御するまでの19年を、この島で過ごしている。また後醍醐天皇は西ノ島に流され、約1年半後には島を脱して、その後、南北朝時代の主役となる。

隠岐の島町は、隠岐の島諸島の「島後」にある街で、2004年10月に、西郷町・都万村・五箇村・布施村が合併してできた。面積は、241・64平方キロメートル、人口は約1万5000人である。

島後は、水産資源に恵まれ、近海でとれるアワビやサザエ、トリ貝などの貝類、ブリやタイ、松葉ガニなどは、その多くが本土にも運ばれ、珍重されている。

街のもうひとつの特徴が、観光である。島内には、古代から建立されてきた多くの神社が残り、歴史好きにはたまらない島だ。また、自然資源も豊富で、島周辺は多くの断崖絶壁に囲まれ、2013年9月には、世界ジオパーク遺産にも登録されている。この島でとれる黒曜石は、中国地方では唯一の産出地で、旧石器時代から石器の材料として使われていたものだ。

長い歴史の中で形成されてきた風俗も、この島の魅力だ。隠岐古典相撲は、島内で神社の遷宮や学校、役場の完成などの、お祝い事として行われるものだが、1回目に勝った力士が、2回目には勝ちを相手に譲るなど、独特のルールを守っている。島からは多くの力士が、今も大相撲に輩出されている。年3回行われる「牛突き本場所」は、日本の闘牛としては最古の歴史を誇り、島は熱気に包まれる。

しかし、この街には課題が多い。人口の減少と高齢化の問題は、どこの地方とも共通する悩みであるが、さらに、多くの観光資源を持つこの島を訪れる観光客が、あまり増えていないことがある。

以前は関西の高校生や大学生が、スポーツ合宿で島を訪れていたが、今はその数が減っている。個人旅行客にとっては、伊丹から隠岐までの航空運賃、本土の七類《しちるい》港からのフェリー代金など、交通費は高く、宿泊費や島内の移動費を考えると、2泊もすれば、10万円近くになる。島を訪れる外国人観光客の姿も、ほとんど見かけることがない。

観光客を迎える側の街は、宿泊施設の多くが、スポーツ合宿や社員旅行などの団体客を前提としており、また、魚貝中心の料理も連泊の想定をしておらず、「食」でも飽きられてしまう。隠岐牛と呼ばれるブランド牛があるにもかかわらず、ほとんどが本土に出荷されるため、隠岐諸島の中では、中ノ島の1軒の店でしか味わえず、ホテルや旅館の食膳に上ることはない。島前と島後を観光ルート化する試みを行っても、食事がほとんど同じでは、連泊する客には、親切とはいえないのだ。

私自身、4回訪れているが、日本の島の中でも、これほどの歴史と文化、そして自然豊かな島は少ない。さらなる、島からの情報発信が必要だ。隠岐の島と聞いて、多くの日本人が「いいね!」と言われる島になってほしいと、切に願っている。

新上五島町——世界遺産に頼り切らない、観光客誘致を模索

新上五島町《しんかみごとう》は、長崎県長崎市の西方、約100キロメートルにある、五島列島の中の中通島、若松島と、その周辺の島々を町域とする街である。五島列島は、北東部から順に中通島・若松島・奈留島・久賀島、そして列島の中では最大の島である、福江島によって構成される。列島の北東部にある中通島、若松島周辺を上五島、福江島に代表される南西部を下五島といい、五島町は下五島に属している。

新上五島町の頭ヶ島教会

福江島には、五島福江空港があるが、この街にアクセスするには、長崎から高速船で約2時間、佐世保からは約1時間20分ほどの航路が頼りだ。博多からフェリーもあるが、中通島の有川港までは、約6時間もの船旅となる。

街の人口は、2018年では1万8525人。1970年には、4万6700人だった。50年弱で、街の人口は、約4割にまで縮小してしまった。

街の産業は、東シナ海に面する好漁場を舞台にした漁業である。特産品であるイカやアワビは絶品とされ、五島の魚は、ブランド品として名高い。

だが、もともと五島漁業の中心は、捕鯨だった。五島における捕鯨の歴史は古く、17世紀に始まり、1884年(明治17年)には、島に捕鯨会社が設立されるなど、島の経済は大いに潤ったという。ところが、1970年初頭には、捕鯨業が行われなくなるとともに、長崎や福岡といった都市部に流出する人々が、増加していったのだ。

街の歴史を象徴する、もうひとつの要素が宗教だ。1566年（永禄9年）、イエズス会のルイス・デ・アルメイダ宣教師が伝えたとされるキリスト教は、当時の大名・宇久氏が洗礼を受けて、キリシタン大名になるなど浸透し、当時キリシタンの数は、2000人にも及んだという。1613年（慶長18年）、江戸幕府により禁教令が発せられキリシタンの歴史はいったん途絶えるが、1797年（寛政9年）、大村藩から開拓民がやってきて、島に定住する中に潜伏キリシタンが多く含まれていて、島で人目につかない山間部や、隠れた入江などに集落を構えた。明治時代になると、キリスト教は激しい迫害を受け、1868年（明治元年）には、約200人の信者が幽閉されて、40人が亡くなる「五島崩れ」と呼ばれる、悲惨な事件も勃発した。

だが、こうした島の暗い歴史が、いま日の目を見ようとしている。2018年6月30日、ユネスコは、潜伏キリシタンが集落を形成していた新上五島町の頭ヶ島集落を、頭ヶ島天主堂とあわせて、「長崎と天草地方の潜伏キリシタン関連遺産」として、世界遺産に認定したのだ。今後の観光の目玉として、インバウンドを含む多くの観光客を呼び込めると、街の期待は高まっている。

いっぽうで、課題もある。空港のある福江島に比べ、中通島を中心としたこの街へのアクセスは、良好とはいいがたい。現在では定期便がなくなってしまった、上五島空港の再整備は必須であろう。また、世界遺産だけに頼る観光政策では、国内の他の世界遺産登録地でも、登録翌年だけ観光客が押し寄せて終わる、という現実に悩んでいるところが多い。

以前、私が現地を訪れた際、たまたまこの街で年1回開催される、「五島・有川くじらどん祭り」に遭遇した。鯨肉の安売りと、島の名物である五島うどんを楽しめる、地元民のためのお祭りだ。とても素朴な味わいのあるお祭りで、大きなハマチやカンパチが放たれたビニールプールで、つかみ取りをする子供たちの姿は、ほほ笑ましいものであった。地元の良いもの、残したい風俗を土台にして、新しい観光の舞台を展開したいものである。

南あわじ市——農業・漁業・畜産で魅力も、大阪・神戸方面への人口流出が続く

瀬戸内海最大の島といえば、淡路島だ。面積は592平方キロメートル。北の明石海峡で本州と、南の鳴門海峡で四国に面し、東は大阪湾、西は播磨灘に通ずる。

淡路島は、行政的に3つの市で構成される。北から順に、淡路市、洲本市、そして、南あわじ市がある。

南あわじ市は、島の南西部を占め、人口は4万7000人になる。三原平野を中心とした平地が多く、ブランド品として名高い「淡路島たまねぎ」やレタス、白菜など、神戸や大阪

といった、大都市向けの農産物が、豊富に生産されている。

また、播磨灘や鳴門海峡、紀伊水道などの、豊かな漁場に恵まれている。流れの速い潮で育ったタイ、夏の定番ハモなどは、関西の市場で高く取引される。また、福良港を中心に養殖されている、「淡路島3年トラフグ」も最近、注目されている。トラフグといえば、山口県産が有名であるが、淡路島福良港のトラフグは、全国一水温が低く、潮の速い鳴門海峡で育った結果、身の締まりがよく、味は濃厚、天然物にも引けをとらないおいしさだ。通常は2年物が主体の養殖フグだが、3年ものは身も大きく白子もよく育ち、評判がよい。

畜産も盛んだ。淡路ビーフは、但馬牛の中で、淡路ビーフブランド化推進協議会が定める品質評価基準に則ったものだけに、与えられるものだ。但馬牛は、兵庫県の但馬地方を原産とする黒毛和種だが、現在の出荷数は、但馬地方より淡路島のほうが多い。

農業、漁業、畜産などが、バランスよく備わった南あわじ市であるが、歴史や文化にも富んだ街だ。淡路島は『日本書紀』や『古事記』にも登場する島で、伊弉諾《いざなぎ》、伊弉冉《いざなみ》の2神が最初に創った国土が淡路島とされる。ここから生まれた「国生み伝説」は、南あわじ市の南東の沖合に浮かぶ小島、沼島《ぬしま》のおのころ島神社などに伝わるものとされる。

室町時代末期に、西宮戎神社の傀儡師《くぐつし》・百太夫が伝えたとされる人形浄瑠璃も、この街を訪れた際には、見逃せない。江戸時代には、約40もの人形座ができ、全国を巡業するほどの人気を博した。その後、娯楽の多様化とともに衰退したが、近年、こうした伝統芸能を保存しようとする動きが高まり、1976年には、国指定重要無形民俗文化財の指定を受けている。現在でも、街中に淡路人形座という、あわじ人形浄瑠璃の常設館があって、気楽に楽しめるようになっている。

街の課題は、少子化と高齢化だ。淡路島は、南北に神戸淡路鳴門自動車道が貫き、本州と四国を結んでいる。その結果、この道路を通過して、多くの人や物の行き来がなされている。だが、交通の便が良いことと街の発展は、必ずしもつながらない。街がただの「通過点」になっているのだ。若い住民が、より便利な神戸や大阪方面へと流出する原因にもなっている。

2016年度、淡路島を訪れた観光入込客数は、1277万人にのぼっているが、その約9割が、日帰り客だ。神戸や大阪方面からやってくる客の多くは、高速道路を通過して、鳴門のうず潮を見る。ハイシーズンの夏場は、海水浴客が中心なので、ほとんどの客が宿泊せずに、日帰りで家路についてしまう。東京方面からやってくるには、新大阪や神戸からのアクセスとなるが、自動車以外に手段がないのも難点だ。四国新幹線構想にしても、鳴門大橋は、自動車と鉄道が一体で整備できるような構造になっているが、明石大橋にその機能はない。島にやってきて1週間、あるいはそれ以上に楽しめる仕掛けづくりが、待たれるところだ。

第十二章　リゾート誘致にかける街

別府市——日本一の「温泉」をウリに、世界に向けたリゾート開発が加速

別府温泉といえば、日本人なら誰でもが知る、温泉の代名詞のような存在だ。別府温泉という名称は、大分県別府市内に存在する、数百にものぼる温泉の総称だ。「別府八湯」と呼ばれる、別府・浜脇・観海寺・堀田・明礬《みょうばん》・鉄輪《かんなわ》・柴石・亀川に代表され、湯の湧出量では、全国1位を誇る。

別府温泉の名が、全国的に知られるようになったのは、別府観光の父とも呼ばれる実業家・油屋熊八の手によるものだ。戦前、彼は「山は富士、海は瀬戸内、湯は別府」というキャッチフレーズを考案し、全国を行脚して、立て札を建立して回ったことで、別府温泉が日本人の多くに知られるきっかけをつくった。

しかし、別府温泉を訪れる観光客は、平成に入って減少が顕著になる。別府温泉は、静岡県の熱海温泉などと並び、企業の社員旅行に代表される、「団体旅行」で潤ってきた街だった。そのために、個人旅行へと軸足を移しつつある国内旅行客のニーズからは、徐々に離されていくことになったからだ。

逆に、それまでは鄙びた温泉地でしかなかった由布院に、個人客を中心に客足を奪われるようになり、日本人にとって別府は、「名前は知っているけど、今さらね」といった感覚の「昔のリゾート地」となってきていた。

湯けむりの上がる別府温泉

そんな別府温泉が今、大変容を見せ始めている。増加し続ける訪日外国人客と、富裕層観光の活発化が背景だ。別府市を訪れる外国人宿泊客数は、2016年では、約34万4000人、その5年前に比べて、60%もの増加をみせている。別府市では、こうしたニーズを積極的に取り入れた街としての、活性化を標榜している。

2019年8月には、ANAインターコンチネンタル別府リゾート&スパがオープン。インターコンチネンタルブランドを展開する、英国IHG(InterContinental Hotels Group)にとって、世界初となる本格的温泉スパリゾートで、国内外の富裕層を、別府に呼び込むことを目論む。

また、星野リゾートは、市内の既存旅館「花菱ホテル」の株式を取得、建て替えのうえ再開業を目指す。さらに隣接地では、大江戸温泉物語が

「別府ホテル清風」を買収、リニューアルを施して開業している。

日本の温泉は別府に限らず、箱根や熱海などでも、見直される動きがある。国内外から多くの観光客を招き寄せる起爆剤としての、温泉のリゾート開発が行われているのだ。

リゾートブームは、平成バブル時にもみられたが、今回はやや様相が異なる。平成バブル時は、リゾートを利用する顧客はあくまでも日本人、しかもバブルで儲けた一部の富裕層を相手とした、国内専用のリゾート開発だった。結果は、バブル崩壊とともに、多くのリゾートが姿を消すことになった。日本では、欧米スタイルの本格的なリゾートの歴史はまだ浅く、滞在期間も1、2泊というのでは、外資系を中心とした「超」がつく高級リゾートが、日本にやってくる可能性すらなかったのだ。

ところが、今国内で計画されている高級リゾート計画の数々は、いずれも世界中のセレブリティを招く、本格的なリゾートを目指している。滞在期間も、数日から1週間以上にも及ぶスタイルだ。日本人も今後は、時間に余裕を持った富裕層や、働き方改革で自由な時間を得た人々を含めて、本格的にリゾートを楽しむ時代になってくるかもしれない。インバウンドや国内富裕層がけん引する、日本の本格的なリゾート時代の開幕が、今模索されている。

熱海市――バブル崩壊のショックから立ち直りつつあるが、空き家問題が深刻化

熱海市は、伊豆半島の付け根にある温泉地。別府、草津などと並んで、常に名湯上位にランキングする、選りすぐりの観光地だ。人口は、約3万7000人。全人口の85%が、観光をはじめとする、第三次産業に従事するという、特殊な街だ。

熱海の歴史は、江戸時代にさかのぼる。徳川家康が、それまでの温泉地であった湯河原、箱根に加えて、熱海を好んだことから、熱海の温泉地としての知名度はアップする。そして、熱海の名を決定的にしたのが、1934年の丹那トンネルの開通だ。このトンネルは、熱海から函南を結び、全長7804メートルに及ぶ。このトンネルが完成するまでは、東海道線は、国府津駅から、現在の御殿場線ルートで沼津につながっていたが、急勾配であるために、円滑な運行に支障が生じていた。東海道線という主要幹線の開通は、温泉地熱海の地位を決定的にするものだった。

熱海は、1960年代になると、新婚旅行の聖地として大いに繁盛し、その後は、社員旅行や団体旅行を受け入れ、観光入込客数は、1991年には940万人、宿泊者数も446万人のピークを記録する。

熱海に変化が訪れたのは、平成バブル崩壊以降だ。景気の低迷のみならず、日本人のライフスタイル、観光スタイルが変化し、団体旅行にほぼ特化していた熱海の街には、やがて閑

古鳥が鳴くようになる。2011年には、観光客数は523万人、宿泊者数は256万人までに落ち込む。

さらに、この街をむしばんでいるのが、住民の高齢化と空き家問題だ。2015年における、総人口に占める高齢者の割合は、44・6%にも達している。15歳から64歳までの生産年齢人口は48・1%だが、やがて、この数値が逆転することも懸念される。この街は丘陵地帯にあることから、街中は急坂が多く、道も狭いので、高齢者にとって住みやすい環境とは、いいがたい。

空き家問題も深刻だ。もともと熱海は、別荘も多いことから、2013年度の空き家率は50・7%。なんと、市内の家屋の半分以上が空き家だが、別荘などの二次的空き家を除いても、その値は23・9%と、全国平均13・5%を大きく上回る結果となっている。

別荘、リゾートマンションの所有者の高齢化と、建物の老朽化も深刻な問題となっている。適切な管理がなされなければ、今後スラム化するリゾートマンションや、所有者不明の別荘など、新たな社会問題を引き起こす可能性も指摘されている。

いっぽうで、明るい材料も出てきた。観光客数が回復基調になってきたのだ。国内景気の回復とインバウンドの増加、個人旅行客に照準をあてたホテル旅館の整備などから、2015年度には、観光客数は677万人、宿泊者数も328万人にまで回復している。JR熱海駅前には、新たな商業施設もオープンし、街の賑わいを取り戻しつつある。だら下がりだった熱海の地価も、田原本町や銀座町などで上昇に転じ、中古リゾートマンション相場も一部物件で上昇、新規ホテルの計画も打ち出された。

ただ、住宅宿泊事業法（民泊新法）などに対する動きは鈍い。民泊は、別荘やリゾートマンションの空き家活用には、効果が高いと思われるものの、既存の宿泊事業者からの反対も根強く、街としての方向性が、打ち出しづらい状況が続いている。中長期滞在や移住・定住を含めた街としての、グランドデザインの構築が求められている。

蓼科——若者にそっぽを向かれてしまった、かつての有名リゾート

長野県蓼科《たてしな》といえば、現在の50代以上の人たちにとっては、青春時代の甘酸っぱい香りが漂う、どこかノスタルジーを覚える街ではないだろうか。

1970年代から1990年代初めにかけて、蓼科は高原リゾートの代名詞だった。関東地方の学生の多くは、夏休みともなると、運動部の合宿などで蓼科を訪れた。合宿以外でもグループで、夏はテニス、冬はスキーなどのスポーツを楽しむのが、蓼科での「過ごし方」だった。

蓼科の観光入込客数は、1995年には、年間200万人を超えていた。ところが、その

後、観光客の足が急速に遠のいていき、2017年現在では、年間150万人と、20年ほどの間に、約25％もの大幅な減少に見舞われている。

首都圏では蓼科、箱根、日光、軽井沢という4大リゾートがある。ところがいま、この4大リゾートの中で、蓼科だけが、観光客を多く失っているのが現状だ。その原因は何だろうか。

まずは、蓼科観光の主流を占めていた、若者世代の人口の減少と、若者の趣味趣向の変化がある。少子高齢化の日本にあって、若者人口の減少は自明であるが、これに加えて、最近の若い世代の間では、スポーツ合宿などの行事が激減したことが大きい。そもそも、リゾートなどに興味がないといわれているのだ。

蓼科の最寄り駅は、JR中央線の茅野駅が、観光ルートとしての起点となるが、蓼科を楽しむためには、この駅からレンタカーを利用して、雄大な八ヶ岳連峰などの景観を堪能しながら、観光するというのが定番だ。

軽井沢は北陸・長野新幹線の軽井沢駅、日光は東北新幹線の那須塩原駅、箱根は東海道新幹線の小田原駅などからアクセスが容易であるのに対して、蓼科は鉄道のアクセスが弱いという、アキレス腱を抱えていたことも、「蓼科凋落」の一因といわれる。

現代の若い世代は、車に乗らなくなった。旅行の主体が、若者のスポーツ合宿などの団体

蓼科高原と八ヶ岳山麓

旅行から、カップルや家族などの個人旅行が中心となる中で、蓼科は、顧客をつかみそこなってしまっているのだ。

数年前、地元のクライアントの招きで、蓼科を訪ねる機会を得た。かつては若者の聖地などといわれた清里には、朽ち果てたペンションが立ち並び、甘いソフトクリームを売っていた行列店の入り口には、「For Sale」の看板が、寂しく揺れていた。

しかし、こうした状況下でも、地元の危機感は薄いように感じられた。蓼科の多くの旅館やホテルは、何人もが泊まれる和室と、広間での食事という、相変わらずのサービスをしている。そして、多くのオーナーからは、「やってこなくなった若者たち」を批判する声ばかりが聞こえてきた。私たちが、個人旅行者や、外国人旅行者獲得のための戦略を、いくつか提示しても、戻ってくるのは、このようなものだった。

「それはいったい誰がやってくれるのだ？　東急や三井、西武といった大資本を誘致できないのか？」

どことなく「他人任せ」の姿勢から、抜け出られていないことも気になった。

健康や美容などに関心が強いシニア層や、雄大な自然景観を好む中国人などが、蓼科に目を向ける旅行需要は、たくさん眠っているはずだ。

帰り際に立ち寄ったペンション村で、多くのシニア層が、地元開催の「天体観測教室」で子供のような歓声をあげている姿に、明日の蓼科を見たような気がした。

宮古島――伊良部大橋の開通で、空前の開発ブームが到来

宮古島は、沖縄本島の南西、290キロメートルに位置する、面積158・93平方キロメートルの島である。ほかに来間島・伊良部島・下地島・池間島・大神島の5島があり、宮古島市は、これらすべての島を包含する。人口は5万1000人を数える。

これまで、宮古島は沖縄の主要な島の中で、もっとも「田舎」と呼ばれてきた島だった。沖縄本島はもとより、石垣島よりも開発は遅れ、島の産業は、サトウキビやゴーヤの栽培といった農業が主体で、他の島々が観光などで活況になる中、地味な存在だった。

伊良部大橋

ところが、この島は現在、「宮古島バブル」と呼ばれるように、島内での開発ラッシュによって活況になっている。

きっかけとなったのは、2015年1月に、宮古島と伊良部島をつなぐ伊良部大橋が開通したことだ。伊良部大橋は、車のCMでも話題になった橋で、全長3540メートル。無料で渡れる橋としては、日本最長を誇る。橋は新しい観光スポットになり、島同士がつながることで、リゾートとしての新たな可能性が開かれたのだ。伊良部大橋が開通した2015年度以降、観光客数は増え続け、2017年度は、98万8000人に膨れ上がった。2014年度では、観光客数は43万人にすぎなかったのだから、短期間での変貌ぶりは明らかだ。

観光客の急増で大問題になったのが、ホテルや旅館の不足だ。２０１７年度末で島のホテル、旅館数は46棟２４３２室にすぎなかった。ここに、１００万人もの観光客が押し寄せたために、島は全くの宿泊施設不足に陥った。活況に目を付けた、東京の資本などがホテル開発に殺到して、島は空前の開発ブームを迎えている。

２０１８年には、小田急電鉄系のＵＤＳが運営する、ホテルローカス（１００室）やフェリスヴィラスイート伊良部島・佐和田（8棟）、森トラストと外資系ホテルのマリオット・インターナショナルが運営する、イラフＳＵＩラグジュアリーコレクションホテル沖縄宮古（58室）などが、続々とオープンしている。以後も、ホテルや簡易宿所などのオープンが陸続している。

さらに、開発に弾みをつけているのが、新空港のオープンだ。下地島には元来、パイロットの訓練用飛行場があったのだが、この空港が、２０１９年3月30日に民営化され、「みやこ下地島空港」としてオープンしたのだ。下地島は、伊良部島とは、ほぼ隣接していて、6本の橋でつながっている。伊良部大橋のオープンは、宮古島と直接つながることになったため、観光客の受け入れ窓口としての空港機能が、飛躍的にアップすることになった。空港の運営権は三菱地所が受託。同空港は、アジアの富裕層に向けた、プライベートジェット機の受け入れも目指すといわれている。

この結果、伊良部島の地価は高騰。リゾート予定地では、せいぜい坪当たり2000円だった土地が、現在は坪当たり100万円で取引されており、わずか数年で、地価が500倍に跳ね上がったという。

島では建設資材不足、人手不足が健在化。コンクリート型枠工の日当は5万円を超えた。この金額は、東京の工事現場の2倍に相当する。アパートやマンションの空室はほとんどなく、賃貸相場も急騰し、ワンルームマンションの賃料も、東京並みに迫るなど、島の経済は絶好調だ。

いっぽうで、短期間での資本や人の集中で、島には大量の廃棄物が発生。また、住民票を置かない住民の増加、不足しがちな水問題など、様々なゆがみも報告されている。この活況が単なるバブルに終わるのか、新たなリゾート社会の牽引役となるのか、島の動向から目が離せない。

草津――コミカルな映画のブームで危機を脱出！

「草津よいとこ　一度はおいで（アードッコイショ）お湯の中にもコーリャ　花が咲くよ（チョイナチョイナ）」。「草津節」が有名な、群馬県草津町の草津温泉。

草津町は、群馬県の北西部に位置する、面積49・75平方キロメートル、人口6500人ほどの街。近隣に活火山である白根山を擁し、2018年1月23日には、このうちの本白根山が噴火し、死者1人、負傷者11人を出す惨事となったことも、記憶に新しい。

この街は、江戸時代から温泉場として知られ、江戸時代に著された『諸国温泉効能鑑』では、堂々最高位である、東の大関に位置付けられている。温泉自然湧出量では、毎分3万2300リットルで日本一といわれ、西の別府と並んで、日本を代表する温泉地といってよい。

この温泉を楽しみに、関東地方を中心に多くの観光客が訪れた。1970年代は、年間約200万人、1985年には250万人を超え、1994年には、300万人の大台を達成し、ピークをむかえた。ところが、2006年以降は、観光客の減少が続き、草津温泉は、熱海温泉などと並び、「昔のイケテナイ」温泉地として人気が低迷する時期が続く。

こうした危機を脱する、ひとつの大きな契機となったのが、2012年4月に公開された映画『テルマエ・ロマエ』である。ヤマザキマリの漫画を原作とした、武内英樹監督の作品は、古代ローマ帝国時代の浴場設計技師・ルシウスが、生来の生真面目さが災いして失職して失意の中、出かけた公衆浴場で現代の日本へとタイムスリップし、多くの不思議な体験をするというものだ。

この映画で登場する温泉地が、草津温泉である。街の中心部には、「湯畑」と呼ばれるお湯が噴出する広場があり、映画では、そこで行われる湯女による湯もみが、たびたび登場する。ルシウスの役で主演した俳優・阿部寛のコミカルな演技と相まって、草津の街を、再度日本中に知らしめることとなった。事実、この映画が公開された2012年以降、草津町を訪れる観光客の数は回復し、2016年には約307万人になっている。

また、2015年度、経済産業省が提唱し、公益財団法人日本交通公社によって展開された、「国際リゾート地域戦略」に取り組む6地域に、北海道のニセコヒラフ・阿寒湖温泉・札幌狸小路・新潟の古町・兵庫の有馬温泉とともに指定を受けた。これは、国際化に対応した地域づくりを行うことで、外国人観光客の消費単価を向上させようと計画されたものだ。消費単価の高い、欧米などの外国人観光客を招き入れ、地域の観光経済の活性化や、景観整備などによるブランドイメージの向上など、数々の施策が展開されている。

この街を訪れて感じるのは、街の中央にある湯畑が、あたかもこの温泉地のテーマパークであるかのように、独特の存在感を放っていることだ。夜にはライトアップされ、旅館やホテルから、浴衣姿でふらりと出てきたカップルやグループ、ファミリーが思い思いに、周辺を散策する。足湯に浸かりながら、話し込む。湯畑を取り囲むように設置された、公衆浴場やレストラン、バー、スーベニアショップが見事に街中で調和しているのだ。

街を訪れた客が、ただ旅館やホテルの中だけに閉じこもって、朝になったらそのまま帰ってしまう従来の旅のスタイルではなく、街を楽しむ。そこに集まる人々が、交流する場を、さりげなく提供しているのが草津だ。湯畑には若者、家族、老夫婦から外国人まで、多くの人たちが遅くまで草津の夜を楽しんでいる。草津に、日本の新しい温泉地の姿を見ることができる。

夢洲――万博誘致とIR誘致の、まさに“夢の島”

2025年に2度目の開催が予定される、大阪万博の会場は、「夢洲《ゆめしま》」と発表された。大阪に何度か行ったことのある人でも、夢洲と聞いてピンとくる人は、少ないのではないだろうか。

夢洲は、大阪市此花区にある、大阪湾に浮かぶ人工島だ。大阪港には、北港と南港がある。この港の入り口部分に、北から順に「舞洲《まいしま》」「夢洲」そして、「咲洲《さきしま》」という名称の、3つの人工島がある。このうち舞洲は、北港のヨットハーバーのある地区と、USJのある桜島と、それぞれ橋でつながっている。また、咲洲は南港にあって、天保山公園や観覧車、海遊館などのレジャー施設がある大阪港地区と、地下鉄南北線や阪神高速道路などでつながっている。また夢洲と咲洲の間には、夢咲トンネルが整備されている。

それぞれの島の現状はといえば、舞洲には、物流施設とスポーツ関連施設や公園が整備されている。また咲洲は、WTC（ワールドトレードセンター）と呼ばれたオフィスビルや、高層マンションなどが建設されている。いっぽう、夢洲には島の南岸に、水深15メートルの岸壁が整備され、高規格コンテナターミナルが2基設置されている。周囲に物流倉庫が立ち並ぶロジスティクスセンターになっている以外、目立ったものはない。

この3つの島には、大阪市が行政主導で行ってきた、開発計画の苦い記憶が凝縮されている。咲洲にあるＷＴＣは、１９９５年3月に竣工した超高層ビルで、大阪市港湾局が中心となって、第三セクター方式で建設された。当時は横浜のランドマークタワーに次ぐ、２５６メートルの高さを誇るオフィスビルだった。しかし、明らかにオフィス立地とは異なる場所だったために、当初よりテナント誘致に苦戦。２００３年には、ＷＴＣが２３６億円もの債務超過を抱えて、大阪地方裁判所に、金融機関との調停を求める事態に発展した。

また舞洲は、大阪市が、２００８年開催予定の夏季五輪の候補地として、２００1年より招致活動を続け、夢洲には選手村などの施設を整備する予定だったが、開催がかなわず、これらの人工島は、大阪市にとって問題山積の島々になっていた。

次にこの地区が話題に上ったのが、政府の進めるＩＲ（統合型リゾート）構想である。２０１6年12月に可決成立したＩＲ推進法案に則り、大阪市は、舞洲を候補地として、国に働きかけを始めた。現状では3ヵ所ともいわれるＩＲ候補地で、大阪の舞洲は、最有力地とも噂されている。

そんな中での、今回の夢洲における万博誘致の成功は、大阪市をはじめ、関係者の喜びもひとしおといったところだろう。万博開催に備えて、早くも大阪メトロが、中央線をコスモスクエア駅から延伸して会場につなげ、夢洲の駅上に地上275メートル、55階建ての超高層オフィスビルを建設する計画をぶち上げた。費用は約1000億円だ。

だが、超高層ビルという発想は、昭和の大阪万博時の発想となんら変わらないようにみえる。咲洲での失敗は、何ら教訓になっていないようだ。むしろ、夢洲の万博会場跡地には、IR整備と併せて、国際会議場や5スターホテル、映画館、美術館、DFS（世界各地で免税店などを展開する、ラグジュアリートラベルリテーラー）、エンターテインメント施設などを呼び込んでみてはいかがだろう。F1レースが開催できるサーキット場を、設けてもよいだろう。水深15メートルの岸壁を持つ港を活かして、超大型の外国船籍クルーザーを接岸させることもできそうだ。新しい世紀での、新しい発想をこの街には望みたい。

第十三章　空港、港を活かす街

成田市——国際空港の街のさらなる発展のカギは、農産物にあり!?

成田市は、千葉県北部の下総台地に位置する、人口13万3000人の街である。街の歴史は古く、平安時代中期に建立された成田山新勝寺や、宗吾霊堂の名で親しまれる東勝寺には、現代でも多くの参拝客が訪れる。成田山新勝寺の年間の参拝客数は、1106万人（2015年）にのぼり、千葉県内では、東京ディズニーリゾートの3019万人に次ぐ、一大観光地である。

市域は北で利根川、西で印旛沼に接する。市の南西部にJRおよび京成本線の成田駅があり、駅の西側には、ニュータウンが広がる。南東部には、1978年に開港した、成田国際空港がある。東京の空の玄関口として開港されたこの空港は、当初激しい反対運動にあい、苦難の道を歩むが、現在では、第三滑走路の供用も開始され、活況を呈している。発着回数は年間で、国際線9万6000回、国内線2万6000回、旅客数は国際線で3100万人、国内線で750万人を数える。

成田市は、これまでは利根川や印旛沼などの、豊富な水利を利用した農業が盛んであったが、近年、農業人口は減少傾向にある。かわって空港と、都心部に直結する高速道路などの利便性が好まれて、市内には工業団地や物流施設が多く建設されている。サービス業も盛んで、ゴルフ場や空港関連のホテル、飲食施設、商業店舗などが集積する。

成田空港

最近の訪日外国人客数の激増で、さぞや市内の観光客数も増加していようと考えがちだが、成田市の観光入込客数は、2016年度で1479万人。平成20年度の1466万人とほとんど変わりがない。外国人の宿泊客数は、175万人。2008年度の126万人と比べて、38％の増加ではあるものの、同期間の国全体での増加率236％と比べると、物足りない数字だ。

原因は、ほとんどの客が空港からそのまま鉄道やバスに乗って、都心部に向かってしまうため、街が単なる通過ポイントにしかならないことだ。

こうした状況を受けて、成田市では、2017年に、成田市観光基本戦略を策定。2020年に、観光入込客数1600万人、外国人宿泊客数330万人を目標に、市内の観光情報の発信や関連施設の整備を行っている。

また、住民サービスの充実にも力を入れている。２０１６年には、国際医療福祉大学成田キャンパスが開設され、２０２０年、同大学の付属病院もオープンした。空港をバックにした豊かな財政から、子育て支援や国際教育推進特区として、英語教育にも力を入れており、ファミリー層の呼び込みにも余念がない。

この街をさらに発展させる今後のカギは、農産物だ。圏央道が、２０１７年2月に茨城県部分が開通して、成田空港方面につながった。成田空港は、人の行き来ばかりが注目されるが、実は、貨物取扱量２２６万トン（２０１７年）で、世界有数の取扱量を誇る。圏央道により茨城方面、常磐道や東北道へのアクセスが飛躍的に向上することで、群馬、栃木、茨城などの農作物を空港に運び込み、アジア方面に輸出することが、容易になったのだ。

経済力を増す中国、台湾、香港や東南アジアでは、日本のおいしい果物や、野菜に対する需要が急増、日本国内よりも高い価格で飛ぶように売れるという。国際線旅客で、ますます存在感を増しつつある羽田空港に対して、成田空港は貨物輸出基地として、圧倒的優位に立つ。空港に集まる人を街に呼び込む。そして大量の貨物、農産物を集め、世界中に送り出す。この街の役割は、今後も増え続けるのだ。

小美玉市――茨城空港の積極的な活用に好機を見出せるか

東京から、北東に約80キロメートルに位置する、茨城県小美玉《おみたま》市は、2006年3月、東茨城郡小川町、美野里町と新治郡玉里村が合併して誕生した、人口5万1822人の街である。

南に霞ヶ浦を擁し、西にJR常磐線、常磐自動車道、東に航空自衛隊百里基地と、2010年3月に開港した、茨城空港がある。

主に東京に向けて出荷されるニラ・イチゴ・メロンなどの栽培や、また、卵・生乳・ヨーグルトなどを生産する酪農が盛んである。

「小美玉」という名称は、合併した町村の頭文字を組み合わせたものだが、市によれば、「小川の流れや美しい自然とともに、玉のように輝き飛躍する市のイメージが感じられる／小さな美しい宝物、あるいは小さな美しい心を持つふるさとになるように／小さな玉が美しく磨かれていく、そんな夢を持てる市になるように」との思いが込められているという。

しかし、茨城県が、「全国都道府県魅力度ランキング」（ブランド総合研究所調べ）で、7年連続最下位（2019年）であるように、小美玉市という名称は、東京などではほとんど無名に近い存在だ。

また、行政の意気込みとは裏腹に、市の人口は合併直後の5万3000人台から、徐々にその数を減らし、高齢化も進みつつある。

こうした状況は何も、小美玉市に限った話ではない。しかし小美玉市は、他の自治体が持っていない、大きな「宝物」を持っていることに、まだあまり気づいていないようだ。それは、茨城空港である。茨城空港は開港時こそフライトが少なく、共用する航空自衛隊百里基地の戦闘機の、離発着を見学する客ばかりで賑わい、「公共投資の無駄遣い」としてやり玉に挙げられたが、現在は札幌・神戸・福岡・那覇などとつながり、春秋航空が、上海との間で、水曜日を除き毎日運航するようになっている。

空港は、法務省の調べによれば、2016年で8万2078人の入国者数があり、そのうち、6万6555人が外国人だ。当然、彼らをターゲットとしたビジネスが勃興してもおかしくないのだが、現地を訪ねても、ターミナルビルのお土産店に、中国語表記がなされた値札がみえる程度で、外国人観光客で盛り上がっている気配は感じられない。

市民の話によれば、空港に降り立った外国人は、ほとんどが、東京に向かうワンコイン(500円)のリムジンバスに乗ってしまうために、現地には、一銭も落としてくれないのだという。また、空港の運営管理が茨城県で、空港自体の活性化にはあまり関心がない、という声も聞かれる。

そこで提案だ。小美玉市のおいしい野菜や果物を、空港から輸出してみてはどうだろうか。東京向けだけで満足するのではなく、日本の野菜や果物に目がない、香港やシンガポールなどの国々に向けて売り込むのだ。空港にやってくる旅客機の荷室を整備して、野菜や果実を運んでみたらどうだろうか。味にうるさい彼らの舌を満足させられれば、続々とバイヤーが空港に降り立つことになるだろう。また、彼らが茨城空港を基地として、他の地方にも足を延ばすことになれば、空港はハブ化し、空港周辺には宿泊施設、商業施設や住宅ができ、そこで働く人々の需要を呼び込むことに、成功するかもしれない。

人を集めるために、小美玉の産物で人を「釣る」のだ。小美玉が「OMITAMA」と呼ばれるようになる時、この名称は、誰もが知る、美しく輝く名称となることだろう。

常滑市——乗客数が伸び悩むセントレア空港の浮上なるか

２００５年２月に、中部地方の国際空港として、鳴り物入りで開港した中部国際空港は、伊勢湾の海上に浮かぶ人工島に建設されたこと、また、空港施設では珍しい公募による愛称を「セントレア」としたことで、全国の注目を集めた。セントレアとは英語で「中部」を意味する central と「空港」を意味する airport をあわせた造語だという。

この空港が立地するのが、愛知県常滑市である。「常滑」は「とこなめ」と読む。常滑焼といえば、日本の六古窯とされ、瀬戸・越前・信楽・丹波・備前と並んで、代表的な焼物の産地である。常滑の「常」は「床」を意味する。「床＝地盤」が「滑」らかである土地、つまり粘土層などが発達した、元来窯業に向いている土地であったことがうかがえる。

実際に市内を歩いてみると、「やきもの散歩道」として、街の塀などに、色彩豊かな焼物が埋め込まれており、とこなめ招き猫通りには、「とこにゃん」と呼ばれる高さ3・8メートル、幅6・3メートルの巨大な焼物の招き猫が、鎮座する姿を見ることができる。

古くから、焼物の街として栄えた常滑であるが、地元がルーツのINAX（旧・伊那製陶、現・LIXIL）の本社工場の撤退や、窯業自体の衰退などを背景に、街は一時活気を失い、1990年後半から2000年前半にかけて、人口も5万1000人程度にまで落ち込んだ。

この街に新しい息吹を送り込んだのが、セントレア空港の開港であった。名古屋中心部からのアクセスを確保するために、名鉄空港線が開通。この鉄道は、名古屋から知多半島を南下して常滑に至り、そこからセントレア空港へとつながる。特急を利用すれば、名古屋から常滑までは、約30分でアクセスでき、またセントレアラインという、空港に直接アクセスできる道路も開通し、街の交通利便性は飛躍的に改善した。その結果、現在では市内にニュータウンも誕生し、人口も5万7000人にまで回復している。

しかし、セントレア空港は開港後、思いのほか旅客数が伸びなかった。開港時こそ、同時期に開催された「愛・地球博」の効果もあって、利用客数1200万人を数えたが、リーマン・ショックや日本航空の経営危機、東日本大震災などの影響を受けて、利用客数が900

セントレア空港

万人を割り込む事態となった。その後の経営の改善や、ＬＣＣ（格安航空会社）の就航誘致、訪日外国人客の増加などから、２０１６年度では、その数は１０９６万人にまで回復している。

訪日外国人の増加は著しく、２０１６年には、セントレア空港からの入国者数が１２２万人に達しており、この外国人たちの需要を当て込んで、空港の対岸にはイオンモール常滑が２０１５年12月にオープン。入り口では巨大な招き猫が、外国人観光客のインスタ映えを誘っている。

さらに、空港島内に、敷地面積６万平方メートルの国際展示場を建設し、常滑の街は、会議場にやってくるビエンナーレ、コンサート、エキシビションなどの客の需要を、おおいに期待できる立場にある。

境港市――大型クルーズ客船の寄港地として選ばれるワケとは？

中国地方の日本海側、島根県と鳥取県の境目に、境港市という街がある。西側は中海を通して島根県に接し、東側は日本海に面する。人口約３万４０００人、面積約29平方キロメートルの小さな港町である。

ここに今、毎年大量の人が集まることは、意外に知られていない。しかも、これらの人たちは、遠い海の向こうからやってくるのだという。

境港市は、市の名前にもあるとおり、境港《さかいこう》と呼ばれる港を有している。この港に、多くの外国人観光客が押し寄せている。境港管理組合によれば、境港に寄港するクルーズ客船の数は、２０１４年の11隻から年を追うごとに増え続け、２０１７年では、61隻にも及んでいるという。

しかも、クルーズ客船でも大型といわれる、総トン数10万トン超の船は、２０１７年は前年の倍の8隻も寄港している。日本を代表するクルーズ船といえば、飛鳥Ⅱだが、この船で総トン数が約5万トンだから、飛鳥の倍以上の規模を持つクルーズ船が、続々境港にやってきているということになる。

訪日外国人の数は、２０１７年に２８００万人を超えた。日本人の多くは、外国人が空港からやってくると思っているが、最近は、港湾から入国する外国人の数が増加していて、その数は、２０１６年で、１９９万２０００人にも及んでいる。

クルーズ船から境港に下り立った外国人観光客は、何をするのだろうか。市内には故郷出身の漫画家・水木しげるを記念した「水木しげるロード」も整備され、商店街で特産のカニや干物を売る店も賑わっているが、中国や韓国などのアジア人観光客のお目当ては、イオンモールでのお買い物である。残念ながら、境港にはイオンがない。そこで、彼らを乗せたバスは隣接する米子市の北、日吉津《ひえず》村にあるイオンモールか、松江市のイオンモールへと向かう。

彼らの財布のひもは緩い。1人当たり、おおむね3万円から4万円のお買い物をする。大型の客船である、オペレーション・オブ・ザ・シーズ（16万８６６６トン）クラスになると、乗客定員数は４０００人を超える。

つまり、地元では一度の寄港、上陸で1億円を超える経済効果が、期待できることになる。彼らは現地で宿泊はせず、船は翌日には岸壁を離れるが、街にとっては、あたかも宝船がやってくるようなものだろう。

大型のクルーズ船は、観光地としての人気が高まる日本に、数多く寄港するようになっている。乗客は欧米のみならず、経済水準が飛躍的に上がった中国や、韓国などのアジア人も多く含まれる。そこで、各自治体はわが港にクルーズ船を迎えようと、躍起になっているのだが、実は、境港が寄港地として選ばれているのには訳がある。境港の岸壁の水深は最深で13メートルあるのだが、大型クルーズ船は、埠頭の水深が10メートル以上ないと接岸が難しいのだ。

ところが、日本の港の多くは、こうした大型船の接岸を前提に、整備されてこなかったために、多くの港が、この水準を満たせない状況にある。

高速道路と新幹線が、これまでの国土交通計画の要だったが、これからは、港湾の整備が加わることになる。日本の海岸線は、北海道から沖縄まで、一筆書きすると約3万3000キロにおよぶ。2020年のコロナ禍では、横浜港に停泊する大型クルーズ船ダイヤモンド・プリンセス号が感染のクラスターになる悲惨な事件もあった。外国人観光客一辺倒の戦略にも陰りがみえる。海岸線を外国人の受け入れだけでなく、日本を海路から周遊する、新たなルートとして整備していくことには、新しい地方創生のヒントが、隠されているのではないだろうか。

小樽市——かつての国際貿易港は、観光業で生き残りをはかる

小樽市は、北海道後志地方の東部に位置する、面積243・83平方キロメートル、人口約11万5000人の街だ。石狩湾に面し、海岸線は東西に69キロメートルにも及ぶ。その他、

小樽の街並み

三方は山に囲まれ、西は積丹半島につながる。交通網は、JR北海道の函館本線、後志《しりべし》自動車道で、札幌にアクセスが容易であり、札幌―小樽間は、電車でわずか30分ほどであることから、札幌からの日帰り観光客でも、にぎわう街である。

だが、こうした都会へのアクセスの良さは、人口の流出を招く。現在、主要な産業があまりないことから、1964年にピークの20万7000人だった人口は、半分近くにまで減少、少子高齢化対策は待ったなしの状況だ。

小樽は、戦前までは栄華を極めた時代があった。街を栄えさせたのはニシン漁と、1899年(明治32年)に開港した小樽港だ。北海道の開拓が進む中、小樽港は、石炭や木材、缶詰などの海産物の輸出で栄えた。日露戦争で割譲された樺太や、昭和初期に建国された満州国への輸出基地として、小樽港は重要な地位を築いたのだ。ロシアとの交易は、これに絡む海運業や、輸出入関連の為替や保険などの業務が、大量に発生。この街には、1906年（明治39年）から1942年まで、日本銀行の小樽支店が置かれ、また主要な銀行や保険会社の支店がこぞって進出し、小樽港は、1956年まで、道内トップの貿易額を誇っていたのである。

だが、戦後の日本経済の構造変革は、小樽の街に、厳しい状況をもたらすことになる。ニシン漁は、街中に多くのニシン御殿と呼ばれる豪邸を造らせたが、そのニシンが不漁となる。エネルギー政策の転換で、石炭は石油に、その地位を取って代わられ、道内にあった炭鉱は、次々と閉鎖された。そして、樺太と満州を失ったことから、小樽港の貿易港としての存在意義は急速に失われていったのだ。

小樽の街に残されたのが、観光だった。小樽運河沿いに、レンガ造りの倉庫群、街中に銀行や保険会社などの、石造りの歴史的建造物が立ち並ぶ姿は、観光客の人気を呼んでいる。市では、「小樽八区八景」と呼ぶ景観地区を選び、観光のルート化も図っている。

豊富な水産物は、小樽を「寿司の街」と呼ばせるほど、観光客の人気を集め、かまぼこやニシン、ホッケ、カレイ、タラやサケなど、お土産品にも事欠かない。実際に、小樽駅に降り立つと、駅前から街中にかけて数多くの寿司屋があり、北海道ならではの味覚を堪能することができる。

観光客数は、2018年度では、781万人を記録しているものの、課題も多い。街を訪れる観光客のほとんどが、日帰り客である。2018年度の日帰り客は702万人、なんと観光客の9割が、街で寿司など昼食を食べて、運河のあたりをさらっと見るだけで、帰ってしまっているのだ。

小樽港も、最近では大型のクルーズ船が寄港し、多くの外国人観光客が小樽の街を楽しむようになってきたが、彼らも街中に滞在するわけではない。外国人観光客の宿泊数は、2018年度で23万人となり、この数は順調に伸びてはいるものの、観光の柱となるにはまだ心もとない。

そこで期待できるのは、北海道新幹線だ。すでに、開通済みの新函館北斗駅から札幌駅までのルートでは、新小樽駅が開業を予定する。しかし、開通は2029年が目標ともいわれ、まだかなりの期間を要する。また、新駅が内陸部に予定されており、札幌までの単なる通過ポイントとなる懸念もぬぐえない。市内での新たな滞在型のリゾート施設の建設や、札幌、ニセコとの連携が望まれる。

伊丹市――かつては対立した空港と共存して、街の活性化をはかる

兵庫県伊丹市は、兵庫県の南東部に位置し、面積約25平方キロメートル、人口約19万70

００人の、大阪都心部に通うサラリーマンが多数住む、ベッドタウンである。市内には、ＪＲ福知山線と阪急伊丹線が南北に縦断する。ＪＲ伊丹駅からは、大阪駅へわずか13分。阪急伊丹駅は始発となり、梅田駅まで20分と、アクセスは極めて良好だ。いっぽうで、伊丹の名は、全国的には「空港の街」として知られている。大阪国際空港、別の名を「伊丹空港」と呼ばれる。空港の滑走路の大半は、伊丹市に属し、１９６０年代から１９７０年代には、空港を離発陸する航空機の騒音公害の街として、たびたびメディアに登場してきた歴史を持つ。

１９７３年10月、伊丹市は「大阪国際空港撤去宣言都市」を標ぼうし、被害が増すばかりの市民を、騒音から守るために、空港の撤去を要求する事態にまで発展した。

こうした「騒音公害の街・伊丹」に大きな変化をもたらしたのが、１９９４年、大阪湾泉州沖5キロメートルの人工島に開港された、関西国際空港の存在である。この空港は日本初の会社管理空港で、空港の建設と、開港後の運営管理業務は、官民で設立された政府指定特殊会社・関西国際空港が担った。この会社は、２００７年には、政府全額出資の特殊会社、新関西国際空港株式会社に改組されている。

関西国際空港の誕生により、大阪国際空港は「国際空港」の名を冠するものの、国際線の定期就航が、チャーター便を除いてなくなり、国内専用の空港として、その位置づけが変容する。国内専用となることで空港としての地位は低下し、地元経済への懸念が取りざたされる中、空港そのものの廃止を検討する動きまで表面化した。

空港機能の縮小や廃止は歓迎、と受け取る見方があるいっぽう、航空機の騒音は、「廃止宣言」が出た1970年代に比べて、現在では大幅に改善されている。国土交通省の調べによれば、1960年代後半から1970年代の、小型飛行機ボーイング727−200型機の騒音は90dB近かったが、現代の主力機であるA320では70dB程度と、約20dBも改善されているという。

こうした技術革新や、空港周辺の経済活動を維持、発展させようという考えから、伊丹市では2007年4月、「大阪国際空港と共生する都市宣言」を議会で採択、1970年代の撤去方針とは、真逆の施策を打ち出すことになった。空港を、街の経済活性化のツールとして活用していく方向へと、大きく舵を切ったのだ。

関西国際空港を運営する新関西国際空港株式会社では、2012年7月から、大阪国際空港の運営も行うことになり、さらに2017年には、空港運営権をコンセッション方式によって売却、現在は民間出資の関西エアポート株式会社が、神戸空港を含めた関西3つの拠点空港を一体運営する形となった。

大阪国際空港は「伊丹の街の顔」として、50年ぶりに再整備が行われている。2020年の完成に向け、大規模リニューアル工事を実施中だ。2019年4月には第一弾として、空港内商業施設34店舗が、新装オープンして話題を呼んでいる。

だが、空港の整備だけでは、空港にやってくる人は空港内に留まるだけだ。実は、伊丹の街は、歴史的には「丹醸の美酒」と呼ばれる、清酒の産地としての顔がある。「白雪」で有名な小西酒造、「老松」ブランドの伊丹老松酒造など、名だたる酒蔵に今、観光客が足を向け始めている。空港は、人々をお迎えする街の玄関口である。インバウンドが激増する関西地区で、国際線の復活も含め、伊丹の街は新たな時代を迎えようとしている。

第十四章　インバウンドが集まる街

ニセコ――リゾートの魅力を外国人が発信

北海道の新千歳空港から、電車またはバスで約2時間半のところにニセコという街がある。ニセコはアイヌ語で「切り立った崖」を意味する。この近辺は、以前「狩太町《かりぶと》」と呼ばれていたが、1964年に現在の「ニセコ町」になった。

さて、このニセコだが、以前より隣接する倶知安町《くっちゃん》と並んで、道内屈指のスキーリゾートとして栄えてきた。地区内には6ヵ所のスキー場があり、「パウダースノー」と呼ばれる雪質の良さは、日本国内に数多くあるスキー場の中でも群を抜いている。

また、羊蹄山に代表される抜群の景観と地域で栽培される新鮮な野菜、湯量の豊富な温泉といった観光要素が備わった街としても、名を馳せてきた。

ここに目を付けたのが外国人だ。

2004年度から2016年度までの、ニセコ町における外国人宿泊延べ数の推移をみると、2004年度にはわずか1万3833人泊にすぎなかったその数は、2016年度には約14・7倍に相当する20万4494人泊に激増している（「人泊」＝「宿泊人数」×「宿泊数」）。

外国人の内訳は中国、香港、台湾といった中国系だけでなく、オーストラリアやアメリカなども占め、町内の道路標識やレストランのメニューにも英語表示が目立つ。

外国人観光客がこれだけ増えた理由は、パウダースノーに魅せられた人たちばかりではな

羊蹄山を望むニセコのスキー場

い。それまではどちらかというと、ニセコ＝スキーリゾートという感覚が大きかった印象をがらりと変えたのが夏のスポーツだ。そして、これらを考案して世界に発信していったのは、実は日本人ではなく、この地を訪れた外国人が中心であったといわれている。

たとえば、ニセコで春から夏にかけて清流「尻《しり》別《べつ》川」で行われるラフティングと呼ばれるスポーツがある。ラフティングとは、ラフトと呼ばれるゴムボートを使って激流を下るスポーツだ。アメリカが発祥の地といわれているが、ニセコではオーストラリア人が現地でラフティングをはじめた。これがネットや口コミで急速に伝わり、夏を代表するスポーツとして認識されるようになった。同様に、カヌーやトレッキングなど、「夏も楽しいニセコ」のレジャーの多くは、実は、その多くが、この地を訪れる多くの外国人たちの手によって広められたのだ。

外国人観光客の激増は、街にいろいろな副産物をもたらした。

定住する外国人の増加である。2005年、ニセコ町に住む外国人はわずかに10人だった。ところが2017年12月現在、その数は429人に増加し、全体人口5198人に占める割合は8・2%に及んでいる。

移住してきた外国人は、次々とニセコの土地を手に入れている。羊蹄山を望むエリアなどは大変な人気で、オーストラリア人のほか、最近では香港人、中国人などのアジア勢などが、手に入れた土地上に瀟洒な別荘を建設している。

2016年には新築のリゾートマンションが売り出されたが、その販売価格は坪当たり600万円を超え、大きな話題となった。この価格は東京の港区あたりの新築マンションの価格に匹敵する。そして、その買い手のプロフィールには日本人の姿はなく、主役は香港、シンガポール人だという。

ニセコ町では、定住する外国人を積極的に役所に採用しているという。外国人から見たニセコ町の魅力を発信することで、さらに外国人を呼び込む。この地道な活動を通じた好循環の実現が、外国人観光客に支持される最大のポイントなのだろう。

こうした動きを、「外国人による日本の不動産の買い占め」として眉をひそめる見方もあるが、地域の不動産価格の上昇と街の経済の活性化に外国人が大いに貢献する時代が到来している、ともいえるのだ。

白馬――外国人中心の新たな不動産市場

長野県の白馬といえば、スキーのメッカ。私が学生の頃は、ここを毎年のように訪れて、朝から夜のナイターまで、何かに憑りつかれたかのように、滑りまくっていた記憶が蘇る。

ところが、今の白馬では、スキーに来る日本人は激減している。日本のスキー・スノーボード人口は、1993年の約2000万人をピークに減少を続け、現在は、550万人にまで落ち込んでいる（日本生産性本部「レジャー白書2017」）。

特に学生はスキーに全く興味がなく、もっぱらスマホやゲームにおカネを使い、寒い冬にわざわざ高い交通費をかけて、スキー場にまで来て、スキーやスノボで遊ぶという感覚を持ち合わせてはいないようなのだ。

そして今、日本人に代わって、白馬のゲレンデを席巻するのは、オーストラリア人やカナダ人といった、外国人スキーヤーたちだ。彼らは、冬のスキーシーズンを迎えると、ヨーロッパやカナダなどのスキー場を渡り歩く。こうしたスキー場にとっての超優良客が、日本にもやって来るようになったのだ。先述のニセコや白馬などは、もともと雪質の高いゲレンデとして有名だが、最近は地球温暖化の影響もあって、ヨーロッパアルプスのゲレンデの雪質が良好ではなく、彼らの選択肢に日本のゲレンデが入ってきた、という背景もあるようだ。

富裕層といってよい彼らは、一度日本のゲレンデにやってくると、1週間から10日ほど滞在する。そして、エリア内にある複数のゲレンデを渡り歩く。多くのゲレンデを抱えるニセコや白馬は、雪質とあわせて、彼らには格好のスキーリゾートなのだ。

ところが、彼らを受け入れるはずの日本のホテルや旅館は、もともとせいぜい2、3泊までの顧客対応しかできない。なぜなら、旅館などの多くは1泊2食付きというシステムなので、10日も泊まられたのでは、食事に何を出してよいのか、わからなくなってしまうからだ。かといって、素泊まりを認めていたのでは、高い人件費を出して雇っている調理人を、遊ばせることになってしまう。

そんな旅館は、外国人たちにはあまり人気がなく、一部の富裕層は、エリア内にコンドミニアムを所有して、自分たちが利用する期間以外には、他の客に自分の部屋を提供して「運用」するようになっている。これは、コンドミニアムホテルともいわれ、最初から家具付きで作りあげ、オーナーは基本的には私物を置かず、現地の不動産業者やホテルオペレーターに運用してもらうことが、基本スタイルになっている。

各住戸は、3LDK程度が基本。宿泊価格は部屋ごとに、1泊あたり2万円から3万円。

外国人客は、適宜住戸内にあるリビングやダイニングを利用するが、別に他の客が部屋から出てきても気にしないどころか、すぐに友達になるという。さらに、ファミリーで来る客に対しては、３ＬＤＫ全部を一括で提供する。宿泊価格は、スキーシーズン中であれば1泊あたり9万円から12万円にもなる。

白馬のあるホテルコンドミニアムは、全戸数わずか8戸ではあるものの、売り出したシーズンで完売したそうである。分譲価格は、1戸あたり90平方メートル程度で約1億円強。坪当たりに換算すれば、３００万円台半ばになり、東京湾岸エリアの新築タワマンをしのぐ価格になっている。買い手はオーストラリア人やカナダ人に加え、最近は中国人の姿も目につくという。

我々はどうしても日本の不動産を日本人の「物差し」だけであれこれ判断し、論評しがちだが、こんな「ありえない」不動産市場が、外国人の手によって、確実にその存在感を高めつつある。

下吉田――ＳＮＳ投稿を機にタイ人が殺到

日本人にとっては「ありふれた」ことでも、外国人にとっては「特別なもの」といった景色や事象がたくさんある。

山梨県の富士急行電鉄大月線に、「下吉田」という駅がある。急行電車は停車せず、1時間に1、2本の普通列車しか停車しない、この鄙びた駅が桜の季節、タイからの観光客で大にぎわいだ。

下吉田駅周辺には、アヤメの群生地として有名な、新倉山という観光スポットはあるものの、これまではわざわざ訪れる観光客も少なく、駅から延びる商店街も、住民の高齢化等の理由で、事実上の「シャッター通り」となっていた。

ところが近年、ここにタイ人観光客が列をなして訪れるようになったのだ。彼らのお目当ては、駅から徒歩20分ほどのところにある新倉山浅間公園。この公園からの富士山の展望がよく、桜の名所でもあるところから、地元富士吉田市ではお花見スポットとして「知られている」存在ではあった。

公園までの階段は約400段。上りつめた先に雄大な富士山と、手前に高さ20メートルほどの朱に塗られた新倉富士浅間神社の、五重塔「忠霊塔」を見ることができる。忠霊塔は、五重塔とはいっても、1963年築の鉄筋コンクリート造りの建物で、正直、歴史的に価値があるものとは思えない。

また、日本人にとって五重塔はさほど特別なものではない。戦後に建設された鉄筋コンクリート造りの建物などに、ありがたみを感じることはないだろう。

下吉田の新倉富士浅間神社の忠霊塔と富士山と桜

　ところが、あるタイ人カップルが日本国内を旅行していて、偶然にもこの地を訪れ、五重塔と富士山をバックに撮影した、自分たちの「ラブラブ」な写真をSNSにアップしたところ、これが大評判となって、タイ中に拡散されていった。

　タイ人にとっては、「これこそがニッポン！」ということで、いつの間にか日本に行くなら下吉田を目指せ、という話になったのだという。

　考えてみれば、下吉田という地は、日本を代表する「富士山」と「桜」、それに「神社仏閣」の三拍子そろった日本を一度に見ることができる、稀有な景色ということができるのだ。

　今やタイ人観光客の間では、日本の「もっとも美しい景色」として、知られるようになっただけでなく、この地にある新倉富士浅間神社には、タイ人観光客が次々と訪れるようになったことから、神社内に飾られる絵馬は大半が、タイ語で書かれたものばかりになっている。

あまりの変貌ぶりに驚愕した富士急行では、駅構内に、タイ語のできる案内人を配置するなどの対応策を実施しているが、突然出現した大量の観光客には、街もびっくりである。

さて、これからの課題となるのが、この街を訪れる外国人観光客から教えられた「意外な人気スポット」という栄誉をもって、今後どのように、本格的な観光地として育てていくかである。残念ながら、この駅の周囲には宿泊施設らしきものが見当たらない。商店街のシャッターも閉じられたままだ。

ヒントをもらった日本人の側がこの事実を受け止めて、よく咀嚼《そしやく》し、新しい観光地としてのプロモーションにつなげていく努力が待たれているのだ。

河口湖――「住民参加型」で外国人客誘致

山梨県富士河口湖町は、富士山の北山麓に広がる、面積158・4平方キロメートルの街である。町域は、東の三つ峠山から西の本栖湖に至るまで東西に長く、富士五湖といわれる河口湖・西湖・精進湖・本栖湖。山中湖のうち、山中湖を除く4つの湖を包含している。

この街は、江戸時代から、霊峰富士山への登山口として栄えてきた観光の街である。標高が800から1200メートルもあり、夏が涼しいことから、明治以降になると、外国人や富裕層が避暑地としてこの街を好むようになり、多くの別荘が軒を連ねた。

また、首都圏に人口が集中する中、河口湖は都心から約100キロメートル圏内でアクセスがよく、1970年代から1980年代にかけては、多くの学生が夏のスポーツ合宿やグループ旅行で足を運び、家族連れも避暑のために訪れ、ボート遊びや釣りを楽しんできた。

国内の多くの観光地は、1990年代半ば以降、若年人口の減少や余暇に対する趣味趣向の変化などで、観光客数が伸び悩んでいった。とりわけこのエリアは、2006年に合併した旧上九一色村に、オウム真理教の信者が集うサティアンがあったせいで、長く風評被害にも苦しんだ。

しかし、この街は、こうした状況にも素早く対応した。1997年には、街で初めて温泉の掘削に成功する。それまで河口湖に温泉のイメージはなかったが、冬場に極端に気温が下がる街にとって、温泉は新たな観光資源となったのである。さらに、今ではどの観光地も頼みの綱としているインバウンドに関しても、1999年頃より韓国、中国、台湾などに積極的に誘客を働き掛けてきた。

さらに、2007年には「観光立町推進条例」を施行して、街を挙げて観光に取り組む姿勢を鮮明にした。この条例で特筆されるのが、観光政策を「観光地づくり」として考えるのではなく、「観光まちづくり」とすることで、すべての住民が参加する「まちづくり」を打ち出したことだ。

住民一人一人が楽しんで観光に参画し、2010年に西湖で発見された、幻の魚・クニマスを模したたい焼き風の「クニマス焼き」を開発するなど、街を挙げての観光立町を目指したところに特徴がある。

こうした施策は観光客数の増加につながり、2016年には455万人を記録している。また外国人宿泊者数（延べ宿泊数）は、2017年に56万2700人と対前年比3・4％の伸びを示している。2002年には約9万人にすぎなかったその数が、15年余りの間に6倍以上になったのだ。

最近では、これまで主体だった中国人だけでなく、米国人や東南アジアなど、他の国の人たちにも人気が広がっている。近年、平日昼の富士急行河口湖駅は、大勢の外国人観光客でごった返しており、多様な言語が聞かれる。

それでもこの街には、まだ課題がある。外国人観光客にとっての観光アイテムが、圧倒的に「富士山オンリー」であることだ。富士山はたしかに感動的な眺めだが、景観だけでは観光客は長居をしてくれない。住民が工夫を凝らして考案する料理や、菓子のメニューも、外国人にはいま一歩というのが実情だ。富士山の麓で楽しめるアクティビティーや、文化芸術を含めた過ごし方の提案によって、彼らに数日から1週間程度滞在したいと思ってもらえるように、魅力を発信し続けることが必要だ。

高山――インバウンドの30年戦略

岐阜県高山市は、2005年に周辺9つの町村が合併してできた、人口8万8000人の街だ。重要伝統的建造物群保存地区になっている、古い街並みや良質な温泉で有名な奥飛騨温泉郷、世界遺産にも登録された、合掌造り集落のある白川郷などに代表される観光都市だ。

実はこの街は、かなり古くから、積極的に外国人観光客を呼び込む「仕掛けづくり」を展開している。1989年、「松本・高山・金沢国際観光ルート整備推進協議会」を発足させ、東京、京都、大阪というゴールデンルートだけでない、日本の歴史的文化的な魅力を楽しんでもらう「欧米人向け」のルートづくりを、自治体の枠を超えて推進してきた。高山だけで外国人を呼ぼうとせずに、松本や金沢と連携して、広域における新しい魅力を発信しようとしたのだ。この試みは、インバウンドの中でも特に欧米人の関心を呼び、現在は国土交通省が認定している7つの日本の広域観光ルートのひとつ、「昇龍道」としてルート化されている。

具体的にこの街が取り組んだのが、「街のバリアフリー化」だ。

エリア内の高低差をなくし、体の不自由な人でも使用できる公衆トイレを設置した。次に行ったのが、「言語のバリアフリー化」。高山市のツーリスト情報ページを開くと驚くのが、英語、中国語はもちろん、イタリア語やロシア語、アラビア語に至る11ヵ国に翻訳されていることだ。パンフレット、歩行者標識や誘導案内などでも、きめ細やかに多言語化。ボランティア通訳の登録者は百数十人、ホストファミリーに登録する家も100軒程度に上る。

さらには無料Ｗｉ－Ｆｉを設置するなど、高山を全く知らない外国人旅行者が訪れても、不自由しない。

高山がユニークなのは、「お迎え」するインフラを整えたうえで、彼らが「見たい」「体験したい」と思うところは、勝手に見つけてもらおうと発想したことだ。モニターツアーを催して、外国人に来てもらい、エリアに何が足りないか、何に魅力を感じるかを自由に発言してもらったのだ。彼らの指摘は、言語標記のささいな間違いにとどまらず、地元の人も気が付かない、新たな高山の魅力の発見にもつながった。

彼ら外国人がとりわけ感動したのが、地元にとっては見慣れた田園風景だった。そこで、高山ではこうした風景をどんどん体験してもらおうと、電動レンタサイクルを貸し出して、自由に市内を走り回ってもらうことにした。

自転車に乗った外国人客は、あぜ道にまで入り込んで、この美しい日本の田園風景を次々とフェイスブックやＳＮＳに掲載した。すると、その評判が評判を呼んで、新たな外国人客

高山の古い街並みを散策する外国人の姿

がやってくるという好循環が生まれた。

さらに高山では、外国人客がレンタサイクルで市内を走り回ることを、市民に事前に告知し、農家の軒先でお茶やお菓子、果物などを用意して、市民レベルでのおもてなしを実践した。

2017年の外国人宿泊者数は約51万人で、2011年と比較すると5・4倍の増加。特に欧米およびオセアニアの宿泊客は27％にも達している。

外国人客の誘致について、時間をかけてじっくり戦略を練り、まずは基盤を整備したうえで、呼び込み、あとは自由に遊んでもらう。そして新しい発見や感動を、旅行者の目で見つけ出してもらう。高山の取り組みには、「人を呼び込む」ための事業戦略が、随所にちりばめられているのである。

高山は2020年のコロナ禍においても、優れた危機管理能力を発揮した。飛騨市・白川村と共同宣言で、「飛騨はしばらくお休みします」「オープン後は皆で歓迎します」とHPで語りかけ、話題となった。「都会人は来るな」といった粗野なメッセージを投げつける自治体も多かった中、高山の対応は称賛されてしかるべきだろう。こんな姿勢にも観光都市高山の明るい未来を感じることができる。

旭川――雪こそが最高のおもてなし

旭川といえば、北海道のほぼ中央の上川盆地に位置し、道内では札幌に次ぐ人口約34万人の中核市である。

札幌は道内経済の中心地であるばかりでなく、国内外の観光客でにぎわう観光都市のイメージが強いが、旭川と聞いて多くの日本人が思い浮かべるのは、「日本一寒い街」という気候の厳しさを象徴する称号であろう。1902年、国内の観測史上もっとも低い気温である、マイナス41度を記録した極寒の街として有名だからである。

旭川での観光といえば、夏は大雪山や層雲峡などへ向かう観光客の拠点、冬はペンギンたちが行進するほほ笑ましい姿で一躍有名になった旭山動物園などが思い浮かぶが、観光都市としてのイメージからは程遠い。また、ビジネス拠点としては、道央経済の中心とはいえ、事業所数は少なく、ビジネス客でにぎわう印象も薄い。

ところが、ここ数年、旭川でホテルの建設ラッシュが起きていることは、あまり知られていない。２０１５年４月に「ＪＲイン旭川」（客室数１９８室）、同年７月に「ホテルラッソグランデ旭川」（１２０室）、２０１６年３月に「ルートイン Grand 旭川」（３４２室）と、わずか１年あまりに新規ホテルが続々オープンしているのだ。

また２０１７年４月には、星野リゾートが地元老舗ホテルであった「旭川グランドホテル」の運営を引き継ぎ、リスタートさせている。

その理由は、外国人観光客である。旭川市を訪れる外国人観光客は、ここ数年で大幅な増加を記録している。２０１１年度には、わずか２万５１２３人泊であった外国人客の宿泊延べ数は、５年後の２０１６年度には、18万８３６５人泊にまで増加した。

国籍別では、中国、台湾、香港、韓国で全体の約７割を占めている。旭川空港にはアシアナ航空やエバー航空、中国東方航空など、多くのアジア系航空会社が就航している。旭川空港では、積極的に外国航空会社の誘致に力を入れており、こうした地道な誘致の結果が、外国人観光客の増加に寄与しているのである。

さらに驚くことに、外国人客の宿泊延べ数（２０１６年度）は、上期10万３１８７人泊、下期８万５１７８人泊というように、季節によって大きな差異がない。極寒の旭川にやって来る日本人観光客の多くはスキー客だが、アジア人観光客の多くは、スキーをやらない。彼らは、何を求めて旭川に集まってくるのだろうか。

彼らが観光の対象とするのは、「雪」そのものである。日本人からすれば、雪はごく普通の気象現象にすぎないが、旭川を訪れる多くの外国人観光客にとって、雪を見て、触れることはおそらく「人生初」の素晴らしい体験なのだ。

ユニクロに行ってダウンジャケットを着るのも、彼らにとっての最高のオシャレだ。スキー場に行っても、彼らの多くはスキーをしない。スキーを楽しまずとも、そこにある雪をバックに記念撮影をする。ソリに乗って遊び、雪合戦をする。ひとしきり雪とたわむれたあと、街に戻って旭川ラーメンに舌鼓を打つ、これで立派な観光となるのだ。

外国人観光客というと、日本人の多くは、自分たちが考える「良いもの」「美しい景色」「おいしいもの」で一生懸命「おもてなし」をしようと考える。ところが、「雪」を見せて勝手に遊んでもらうだけでも、外国人観光客にとっては、それが素晴らしい体験になることに気づくべきだ。

空港は、外国人を迎えるためのゲートウェーである。ゲートを通じてやって来る外国人は、日本の中で彼らにとって楽しいもの、美しいもの、おいしいものを勝手に見つけてくれる。人を集める手法で、「ひとりよがり」は成功しないのだ。

おわりに——隠岐の島で知った心地よい街

今から約6年前のこと、不動産のアドバイザリー業務を営む私の事務所の電話が鳴った。受話器をとった社員から、

「社長、オキノシマの商工会の方からお電話です」

と言われたものの、当時の私はオキノシマと聞いて、太平洋の沖合に浮かぶ南の島だと勘違いして、電話に出ることになった。私がとっさに思い浮かんだ島は、小笠原諸島にある沖ノ鳥島だったのだ。この島は、東京都小笠原村に属する無人島で、そもそも商工会などあるわけがない。オキノシマは、本書でも登場する、島根県の隠岐の島だったのである。

商工会からの電話の趣旨は、隠岐の島の中でも、島後とよばれる島にある、隠岐の島町商工会からの依頼で、町にある4つの町営ホテルのアドバイザリーをやってくれ、というものだった。

何しろ、島の名前さえ間違える私に、なぜアドバイザリーの声がかかったのかわからない。あわてて、島に関する情報を取り寄せるところから、私と隠岐の島の付き合いは始まった。

歴史をひもとけば、古来、小野篁《たかむら》や後醍醐天皇、後鳥羽上皇が島流しになった絶海の孤島。江戸時代、幕府に反旗を翻した大坂奉行所の元与力で、「大塩平八郎の乱」の主人公・大塩平八郎の息子が流されたのも、隠岐の島である。

この顚末については、作家・飯嶋和一の長編歴史小説『狗賓童子の島』に詳しく、現地に赴く前に熟読した。地元島根県出身の映画監督・錦織良成監督の作品で、隠岐の島を舞台にした映画『渾身 KON-SHIN』(2013年・松竹)も視聴しようとしたのだが、DVDや動画はどこにもなく、これは視聴できないままで、向かうことになった。

さて、ホテル関係のアドバイザリーということで、商工会に対しては、まず4つのホテルの、直近3年程度の実績資料を送ってもらうことにした。ホテルの売上は、客室数と客室稼働率、宿泊平均単価で決まる。季節変動要因も高い商売なので、月別の成績を押さえておくことが重要だ。

ところが、待てど暮らせど、資料は送られてこない。お客様とはいえ、相手の成績もわからずに丸腰で行ったのでは、成果もあげにくい。何度か催促をする羽目となった。だが先方から帰ってきた返答は、驚くべきものだった。

「本当にすみません。今、宿帳めくって集計してますんで」

それでも何とか、訪問2日前には資料が送られてきたので、とりあえずエクセルデータに落とし込んで、現地に赴くこととなった。

季節は1月。日本海が、荒れ狂う季節。この季節に島にやってくる観光客は、皆無。従業員も、一番時間がとれるということで、この時期になったという。

会場となったホテルには、従業員が集められ、早速、3日間にわたるセミナーを開始した。ところが、どうも従業員のみなさんの反応がイマイチなのである。こちらは、予習を十分に積んだつもりなので、飯嶋和一の小説の話から始めて、みんなの気を引こうとする。ところが、全員が首をかしげるばかり。さすがに映画なら、ロケにも来ているであろうから、反応が良いだろうと思ったのだが、

「そんな映画、あったかのう」

で終わり。すっかり出鼻をくじかれた形になったが、気を取り直してすすめる。

当時から、日本を訪れる外国人観光客は、増加しつつあった。隠岐の島は、空港が小さいため、東京からの直行便がなかったが、大阪国際空港（伊丹空港）からは定期便があったので、世界ジオパーク遺産にも登録された島の、素晴らしい景観は、必ずや外国人の心をつかまえるだろうとの思惑があった。そこで、ホテルのフロント係をやっている若い女性2人に、

「昨年度の宿泊者のうち、外国人の方は、どのくらいの割合でしたか」

と尋ねてみた。2人の女性は首をかしげ、

「え〜、わからないです」

島の人はシャイな人が多いと思った私は、

「いえいえ、正確でなくてもよいです。だいたい、どのくらい？　何人位来てますか？」

と尋ねなおしました。

すると、再び驚くべき発言が。

「外人さんって、見たことないです」

結局、3日間にわたった私のセミナーは、なんだかつかみどころのないまま、終わってしまったのだった。

後日、商工会から、セミナーのアンケートが送られてきた。結果は、私の仕事史上最悪の結果だった。

「何言ってんだか、わからない」

「もっと島にあった話が聞きたかった」

「カタカナ多くて、言葉がわからん」

散々な感想だ。この外部講師を招聘して行うセミナーは、毎年1月に行われるとのことだったが、さすがに、翌年は声がかからないだろうと観念した。また、自分の講義スタイルに自信を失ったのも事実だったが、「まあ、離島でのセミナーは無理だな。だって、宿泊台帳すら整理されていないのだから」と自身を慰めることとなった。

ところが翌年、再び私の事務所に、隠岐の島商工会からの電話が鳴り響いたのだった。前年の惨憺たる結果があっただけに、思わず、

「なんで、今年もご指名いただけたのですか？」

と尋ねると、先方からは、

「いえいえ、とても評判が良かったのです。何しろ、2年続けて講師をお願いするのは、このセミナーが始まって以来、初なのです。ぜひぜひ、よろしくお願いします」

びっくり仰天とはこのこと。半信半疑の気持ちで、再び隠岐の島に向かうことになった。

ところが2回目の訪問でも、私は、島のみなさんのハートをつかんだ自信を、1ミリも感じることができなかった。暖簾に腕押し、前回の反省からグループ方式にして、チーム同士で、隠岐の島の観光プランを考えていただいたり、私も議論に参加して、ヒントを提供したりしたのだが、ほとんど反応がない。やはり、失意のまま島を後にしたのだった。

そして、なんと、翌年も私は講師として、島を訪れることになったのだ。電話をしてくる商工会の方は、島根弁で、よく言葉が聞き取れないことが多いのだが、とにかく島は喜んでいるから、また来てくれという。いよいよ3回目も、わけのわからぬまま島に向かうこととなったのである。

ところが、今回は出かける前から、ある変化に気が付いていた。ホテルの直近のデータが、すぐに出てきたのだ。成績もだいぶ良くなっている。自分たちなりに企画した、宿泊プランの効果検証もなされている。なんとなく、やる気を感じる資料が送られてきたのだ。

島に到着して、セミナー開始前に私は、島で最も大きな港である西郷港にたたずんでいた。すると遠くから島のおばあさんが、私のほうに、とことこ歩いていらっしゃる。あれ？ セミナーの人かな？ 怪訝《けげん》に思っている私の前までやってくると、彼女は、私にむかって深々とお辞儀をして、

「あら先生、またいらしてくださったんですね。本当にありがとうございます」

とおっしゃったのだ。

本当に驚いた。そのおばあさんは、セミナーの参加者でもなんでもなかったのに、私のことをどこで知ったのだろう。わざわざ挨拶してくれるなんて。そしてその時、私はひょっとすると、やっと島の方々に受け入れてもらえたのかもしれない、と思ったのだった。

3回目の訪問は大成功だった。島に来て初めて、私たちは、島の住民が飲みに集まる居酒屋に招待された。皆さんが集まり、私たちを歓迎してくれた。笑い声が店中に響き、私はなんだかすっかり幸せな気分、つまり島の一員になったような、不思議な心地よさに浸ることができた。

さらに、セミナーを終えて、島の空港から大阪空港行きのプロペラ機に乗り、ふと外を見ると、島の人たちが大勢で、空港ターミナルの屋上から手を振っているではないか。このときには、思わず涙が出そうになった。

隠岐の島との付き合いを通じて心底思ったのが、地方創生だなんだ、といって、東京や大阪からコンサルタントがやってきて、上から目線の適当な講義をして逃げ帰ったところで、地方の街は、決してよくなったりはしないということだ。本当に心の底からおつきあいして、地方の方々と交流し、仲良くなるには時間も必要なのである。理屈ではないのである。

日本には、まだまだ、隠れた魅力のある素晴らしい街がある。生活して楽しい街。本当に互いが信頼関係で結ばれた街があれば、人は幸せになれる。人が集まり、語り合い、共に暮らす、共に楽しむ街を探しに、私の旅はこれからも続いていく。

著者

ＤＴＰ：エヴリ・シンク

本書は、『週刊東洋経済』の連載「人が集まる街　逃げる街」（２０１７年11月11日号〜）に掲載されたものの中から抜粋の上、加筆・再編集をしたものです。

牧野知弘（まきの・ともひろ）
オラガ総研株式会社代表取締役、株式会社オフィス・牧野代表取締役。東京大学卒業後、第一勧業銀行（現：みずほ銀行）、ボストンコンサルティンググループを経て、三井不動産に入社。「コレド日本橋」「虎ノ門琴平タワー」など、数多くの不動産買収、開発、証券化業務を手がける。2006年、日本コマーシャル投資法人執行役員に就任し、J-REIT（不動産投資信託）市場に上場。2009年、株式会社オフィス・牧野およびオラガHSC株式会社を設立、代表取締役に就任。2015年、オラガ総研株式会社を設立、代表取締役に就任。現在はホテル・マンション・オフィスなどの不動産全般に関する取得・開発・運用・建替え・リニューアルなどのアドバイザリー業務を行う。おもな著書に『空き家問題――1000万戸の衝撃』（祥伝社新書）、『2020年マンション大崩壊』（文春新書）、『こんな街に「家」を買ってはいけない』（角川新書）など。

人《ひと》が集《あつ》まる街《まち》、逃《に》げる街《まち》

牧野知弘《まきのともひろ》

2020年 7月10日　初版発行
2024年 4月10日　4版発行

◆◇◇

発行者　山下直久
発　行　株式会社KADOKAWA
〒102-8177　東京都千代田区富士見2-13-3
電話　0570-002-301（ナビダイヤル）

装 丁 者　緒方修一（ラーフイン・ワークショップ）
ロゴデザイン　good design company
オビデザイン　Zapp!　白金正之
印 刷 所　株式会社KADOKAWA
製 本 所　株式会社KADOKAWA

角川新書

ISBN978-4-04-082364-5 C0295